# Adaptive Leadership

# 5

# 나만의 실험실

## 나를 실험하라

로널드 A.하이페츠 • 알렉산더 그래쇼 • 마티 린스키 지음

ginger T project
진저티프로젝트

**일러두기**

— "한눈에 보는 어댑티브 리더십"은 책의 이해를 돕기 위해 출판팀이 자료를 재가공했다.
— 외국어표기는 국립국어원의 외래어표기법과 용례에 따라 표기했으며 최초 1회 병기를 원칙으로 했다. 단 독자의 이해에 필요한 경우 재병기하였으며, '어댑티브 리더십'과 '어댑티브 챌린지'의 표기는 본연의 의미를 살리고자 원어 그대로 표기했다.
— 전집, 총서, 단행본, 잡지 등은《 》로 표기했다.

## 추천의 글

《어댑티브 리더십》 5부 "나만의 실험실"에서 핵심 문장 하나를 골라야 한다면 "리더십은 즉흥 예술이다"에 밑줄 그을 것이다. 나는 리더십 개발 목적으로 미국에서 가장 유명한 코미디 극단 중 하나인 시카고 세컨드 시티The Second City 즉흥연기 교육에 참여한 적이 있고, 뉴욕 재즈 뮤지션 마이클 골드 박사Dr. Michael Gold와 즉흥연주와 리더십 관련성에 대한 아티클을 공저하고, 세미나를 함께 진행한 적이 있다. 5부를 읽으며 그 때의 경험을 떠올렸고 어댑티브 리더십과 공통된 통찰을 찾아보게 되었다.

즉흥연주나 연기가 떠오르는 대로 아무것이나 자유롭게 할 수 있다고 오해할 때가 있다. 하지만 즉흥 코미디와 연주를 배우면서 알게 된 가장 중요한 것은 거기에는 반드시 지켜야 하는 규칙이 있으며, 함께 공연하는 배우나 연주자와 공통의 목표를 갖고 있다는 점이다. "나만의 실험실" 첫 시작이 "자신의 목적과 연결되어 있어라"인 것은 목적을 잃어버린 실험은 의미가 없기 때문이다.

저자가 추천하듯 자신의 야망ambition과 열망aspiration을 찾아보고, 매일 자신의 목적과 연결되어야 한다. 이를 위해 나는 매일 저녁 9시면 구글 캘린더에서 세 가지 질문을 던지도록 해 놓았다:

"네가 원하는 것은 무엇인가?"

"지금 여기에서 내 시간을 가장 잘 사용하는 방법은 무엇인가?"

"오늘 내 목적을 확인해 보았는가?"

즉흥예술은 공동 목적과 규칙을 지키면서 끊임없이 변화에 적응한다는 점에서 어댑티브 리더십과 맞닿아 있다. 우리는 1부에서 "어댑티브 챌린지"와 "기술적 문제"가 어떻게 다른 지 배웠다. 나는 이 부분을 읽으며 커리어 개발 접근 방식에 연결지어 생각해보게 되었다.

어떤 사람은 자신의 일을 기술적으로만 접근하는가 하면, 또 어떤 사람은 그 일에서 변화적응적 부분이 무엇일지 고민하면서, 문제정의를 새롭게 해보고, 해결책 마련을 위해 자신의 전문성과 다른 분야를 학습하기도 한다. 그리고 자신에게 일을 준 '보스'만 생각하기보다 폭넓은 이해관계자를 고려하는데, 이런 변화적응적 방식으로 일하는 사람들은 성장의 폭이 훨씬 크고, 시장에서 오래 살아남는다.

《하버드 비즈니스 리뷰》가 10편의 반드시 읽어야 할 리더십 아티클에 포함시킨 로널드 하이페츠의 글[1] 에 보면 리더십을 학습에 비유Leadership as Learning하고 있는데, 완벽하게 짜여진 각본이 없는 즉흥예술 역시 한 편의 작품안에서 끊임없이 함께 배워 나가는 과정으로 되어 있다. 5부에서 편안함에 머물기보다 "조금 더 높은 수준의 위험을 감수"하라는 것 역시 실험 정신의 핵심이 위험 감수이고, 그 과정에서 지속적으로 학습, 성장해 나갈 수 있기 때문이다.

코로나19로 인해 세상을 살아가고 일하는 방식이 바뀌면서 어댑티브 리더십은 그 중요성이 더 커졌다. "발코니에 올라" 세상의 변화를 살펴야 하고 정답이 없는 상황에서 "나만의 실험"을 해야 할 필요성이 늘었기 때문이다. 2021년 하이페츠는 한 인터뷰[2]를 통해 이런 위기상황에서 어떻게 "발코니"에 올라서야 하는지 질문을 받았을 때 5부에 나온 내용을 인용했다.

잠시 중지pause하고 줌 아웃zoom-out할 수 있는 나만의 "피난처"(좋아하는 카페나 동네 서점, 산책길이 될 수 있다), '발코니 대화'를 나눌 수 있는 직장 내 파트너와 직장 밖 친구나 상담자, 그리고 발코니 시각을 갖는데 도움이 되는 정기적인 연습(시쓰기나 그림 그리기, 운동이나 일기 쓰기 등)이다.

코로나19가 시작된 후 나도 1년 이상 온라인 리추얼 커뮤니티에 참여해 매일 아침 스트레칭과 깊은 호흡을 하고, 저녁에는 그림을 그리거나 책을 읽으며, 매일 내 삶을 '발코니'에서 바라보는 것이 이런 위기상황에서 얼마나 중요한지를 경험했다. 그 과정에서 "무도회장"(현장)에서는 보이지 않던 새로운 실험에 대한 아이디어들을 얻을 수 있었기 때문이다.

《어댑티브 리더십》 1부에서 저자들은 이 책을 "치열한 삶의 현장에서…애쓰는" 독자들을 위해 썼다고 했다. 그리고 2-5부는 순서대로 읽지 않아도 좋다고 했다. 그 말에 동의하면서 한 가지 꼭 덧붙이고 싶다. 1부를 읽어야 어댑티브 리더십 개념을 이해할 수 있다면, 5부 "나만의 실험실"을 읽고 자기만의 현장에서 "작은 실험"을 하지 않는다면 이 책이 주는 중요한 가치를 놓치는 것이다. 실험 아이디어는 5부에만 20개 가까이 실린 "발코니에서 바라보기"와 "현장에서 적용하기"에서도 얻을 수 있다.

여러분만의 "어댑티브 챌린지"는 무엇인지 살펴보고, 그 도전을 "발코니"에서 바라보고 현장에서 춤추기 위한 나만의 실험을 진심으로 응원한다.

**김호** / 더랩에이치 대표
《직장인에서 직업인으로》 저자

---

1 R. A. Heifetz, R. and D. L. Lauri Donald. "The work of leadership", Harvard Business Review 79(11), 131-141(2001)

2 D. Skok, "Letter from the editor: Ron Heifetz on leading through the COVID-19 crisis" The Logic (2021. 4. 17)

목차

## 5부. 나만의 실험실 – 나를 실험하라

## 한눈에 보는 어댑티브 리더십

**어댑티브 리더십의 여정을 위해 생각해 볼 4가지**

1. 변화를 이끄는 여정을 혼자 시작하지 말라
2. 인생을 리더십 실험실처럼 살아라
3. 성급하게 행동하지 말라
4. 어려운 선택을 통해 새로운 즐거움을 발견하라

| | 진단하기 | 행동하기 |
|---|---|---|
| **조직** system | **방 안의 코끼리**<br>시스템을 진단하라<br><br>· 조직의 구조와 문화, 관행을 진단하라<br>· 기술적 문제와 어댑티브 챌린지를 구별하라<br>· 조직의 정치적 관계를 진단하라 | **시스템의 온도**<br>시스템을 움직이라<br><br>· 문제를 다양하게 해석하라<br>· 변화를 이끌어낼 효과적인 실행안을 디자인하라<br>· 정치적 관계를 고려하여 행동하라<br>· 갈등을 조율하라 |
| **자신** self | **내면의 현**<br>나를 들여다보라<br><br>· 자신의 충성심을 인식하라<br>· 자신의 내면의 현이 어떤 자극에 반응하는지 이해하라<br>· 대역폭-역량과 인내심-을 확장하라<br>· 자신의 역할과 권한범위를 이해하라<br>· 목적을 분명히 하라 | **나만의 실험실**<br>나를 실험하라<br><br>· 목적이 살아있도록 하라<br>· 자신의 실패를 허용하라<br>· 사람들과 함께하라<br>· 실험적 사고방식을 가져라<br>· 자신을 안아주는 환경을 만들어라 |

5

# 자신을 효과적으로 활용하라

## Deploy Yourself

어댑티브 리더십을 발휘하려면 안정적인 일상에서 벗어나 이전에 경험하지 못한 미지의 세계로 들어가야 한다. 익숙한 행동 방식을 벗어나 새로운 방식을 시도해야 하지만 결과의 성공이나 역량의 성장이 보장되는 것은 아니다. 그렇기 때문에 어댑티브 리더십을 발휘하려면 위험을 감수해야 한다. 기술적인 문제를 해결할 때 사용했던 전문 지식이나 노하우를 적용할 수 없기 때문이다. 자신이 변화하지 않고는 어댑티브 챌린지adaptive challenge, 변화 적응적 도전를 해결할 수는 없다. 5부에서는 당신이 변화하고 적응해야 할 것은 무엇인지 알아본다.

어댑티브 리더십은 다소 역설적이다. 개인적 이익을 넘어선 신념을 위해 리더십을 발휘하는 동시에 효과적인 리더십을 위해 자신을 어떻게 관리하고, 사용하고, 만족시키고, 효율적으로 활용할지를 터득해야 하기 때문이다. 무엇보다 자신이 미지의 영역으로 들어가고 있음을 인식해야 하고, 그에 따른 적절한 행동을 해야 한다. 미지의 세계로 들어간다고 해서 제멋대로 행동해도 되는 것이 아니다. 오히려 더욱 현명한 리더십이 필요하다. 당신이 변화를 이끌고자 하는 조직은 현재 상태를 유지하려는 경향이 있다. 그래서 당신이 변화를 만들어나가려 할 때 당신의 약점을 드러내며 저항할 것이다.

수많은 고객과 학생들을 만나면서 '자신을 효율적으로 활용하는 방법'을 깊이 이해하게 되었다. 무엇보다 '자신을 효율적으로 활용한다는 것'은 역량의 문제라기보다는 의지의 문제라는 것을 깨달았다. 이 책에서 제시하는 방법은 대부분 충분히 할 수 있는 일이다. 하지만 우리가 제시하는 많은 방법은 당신이 그동안 적절하지 않다고 생각한 것일 수도 있다. 이러한 방법을 능숙하게 다루기 위해서는 평소 업무나 사회생활에서 필요로 하는 역량보다 한층 더 깊이 자신의 잠재적 역량을 개발해야 한다. 이러한 역량을 갖추면 조직이나 공동체는 당신의 변화를 알아차릴 것이다. 사람들의 마음과 진실하고 힘있게 연결되기 위해서는 당신 자신도 마음으로부터 다가가야 한다.

5부에서는 적응적 변화adaptive change를 이끌어갈 때 다루어야 할 감정을 이야기할 것이다. 누군가를 익숙한 곳에서 벗어나 낯선 곳으로 움직이게 할 때 당신은 그들의 이성뿐 아니라 감정을 다루어야 한다. 또한 사람들과 강력하게 연결되어 그들을 이끌어가기 위해서는 당신 자신이 안전지대에서 벗어날 수 있어야 한다. 따라서 이어지는 세 장에서는 감정이라는 요소를 가지고 리더십을 발휘하는 것을 다루고, 감정의 영역을 다룰 때 뒤따르는 위험성과 취약성을 살펴본다.

한편, 마지막 두 장에서는 번아웃으로부터 자신을 보호하는 방법을 다룬다. 번아웃은 당신이 내면의 힘을 사용하면서 리더십을 발휘할 때 일어나기 쉬운 증상이다. 예를 들어보자. 2005년 미국을 강타한 태풍 카트리나가 지나간 뒤, 우리는 도시 재건을 위해 일하는 뉴올리언스의 시민운동가들과 함께 일한 적이 있다. 그들은 하루 24시간, 일주일 내내 일할 만큼 신념이 강했다. 하지만 매우 지쳐 보였고, 특히 시민운동가 리더십 그룹은 번아웃으로 판단력이 흐려지기까지 했다. 이런 문제는 자원봉사자나 비영리 기관에서 일하는 사람들에게만 나타나는 것은 아니다. 스트레스가 심한 기업 및 정치계 리더들과도 일한 적이 있는데, 그들 또한 탈진 정도에 비례해서 판단력과 건강이 나빠졌다. 사람들은 좋은 의도를 가지고 옳은 일을 하지만 임무에 너무 집착한 나머지 그사이 자신에게 어떤 일이 일어나는지 알아차리지 못하는 경우가 많다.

5부에서는 적응적 변화를 이끌 때 자신을 효과적으로 활용하는 여러 방법을 살펴본다.

- 자신의 목적과 연결되어 있어라 Stay Connected to Your Purposes
- 용기 있게 참여하라 Engage Courageously
- 영감을 불어넣어라 Inspire People
- 실험하라 Run Experiments
- 번성하라 Thrive

5.1

## 자신의 목적과 연결되어 있어라

Stay Connected to Your Purposes

'세상을 변화시키자, 조직을 새롭게 만들자, 공동체의 고질적인 문제를 해결하자'와 같이 강력하고 가치 있는 목적이 아니라면 리더십이라는 어려운 짐을 굳이 짊어질 이유가 없다. '목적'이란 행동으로 이어지기 위해 영감과 방향을 제시하는 것이다. 적응적 변화를 이끌 때 목적을 살아있게 하는 다섯 가지 지침을 연습해 보자.

## 윤리와 목적을 모두 고려하라

'당신이 가장 원하는 변화를 위해 어떤 새로운 사고와 행동을 받아들여야 하는가?'는 이 책을 관통하는 질문이다. 그리고 다음 질문으로 이어진다. '당신이 가장 원하는 변화를 위해 어떤 것을 하지 않을 것인가?' 예를 들어 어떤 프로젝트를 성공시키기 위해 상대방의 도움이 필요한 상황이라고 하자. 프로젝트의 성공 가능성을 부풀려 상대방의 열정을 자극하고 협력을 유도하는 것은 윤리적인가? 어디까지가 지켜야 할 선인지 어떻게 알 수 있는가? 당신은 프로젝트를 어느 정도 부풀려 설명하는 것이 괜찮다고 생각하지만 당신의 동료들은 전혀 그렇지 않다면, 그 동료는 당신보다 '더 윤리적'인가? 아니면 요령이 없는 것인가? 이 문제는 세 가지 관점에서 생각해볼 수 있다.

첫째, 당신의 행동이 다른 사람에게 미칠 수 있는 잠재적 피해를 따져봐야 한다. 적응적 변화adaptive change를 위한 시도는 치명적이지 않을지라도 손실이 발생할 수 있고, 이런 피해에는 윤리적인 질문이 뒤따른다. 당신은 사람들에게 피해를 주는 것을 감수할 것인가? 아무리 고상한 목적이더라도 다른 사람에게 고통을 주는 것을 즐기는 사람은 없다. 그러나 어댑티브 리더십을 실천하는 사람은 자신이 선의로 하는 시도가 다른 사람에게는 괴로움 혹은 그보다 더한 것을 느끼게 할 수 있다는 것을 깨달으면서 수반되는 불편함을 받아들여야 한다. 이러한 상황의 극단적인 예로 전쟁을 들 수 있다. 에이브러햄 링컨은 미국 남북 전쟁 당시 미합중국을 지켜내겠다는 목적이 있었지만, 남북 양측에서 발생한 수많은 사상자 때문에 무척 괴로워했다. 하지만 에이브러햄 링컨은 이런 상황 때문에 전쟁을 중지하지는 않았다.

둘째, 당신의 이미지와 당신이 추구하는 가치에 어떤 손해를 미칠지 가늠해보라. 어댑티브 리더십을 발휘하면서 자신의 충성심과 가치에 반대되는 행동을 얼마나 했는가? 성공적인 리더가 되려면 당신이 옳지 않다고 생각하는 것을 행동으로 옮겨야 할 수도 있다. 간단한 예로, 당신은 화를 낼 수도 있지만, 화를 다스리지 못하는 것은 옳지 않다고 생각해 그런 행동을 꺼릴 수 있다. 그래서 화를 낼 필요가 있어도 좀처럼 화를 내지 않을 것이다. 자신이 추구하는 목적을 이루기 위해 안전지대를 벗어나는 행동을 기꺼이 감수하려는 사람은 흔치 않다. 목적을 위해 평소에 지켜온 가치(예를 들어 예의 있게 행동하라, 정직하라, 정숙하라)를 어기는 불편함까지 감당하는 경우는 흔치 않다. 물론 이런 선택을 한 맥락을 고려하는 것은 중요하지만 상황에 따라 다를 수는 있다. 예를 들어 대부분의 부모는 자녀를 보호할 방법이 한 가지밖에 없다면 그동안 지켜온 가치(도둑질하지 말라, 살인하지 말라)에 반대되는 행동도 기꺼이 할 것이다.

마티 교수는 하버드 케네디 스쿨 학생들에게 뉴욕의 유명한 건축가 로버트 모세스에 대해 가르쳤다. 로버트 모세스는 20세기 뉴욕을 설계한 건축가로 매년 수백만 명의 뉴욕 시민과 여행객들이 이용하는 공원, 해변, 도로의 거대한 네트워크를 계획하고 설계했다. 그러나 모세스는 자신의 목적을 이루기 위해 논란의 여지가 있는 방법을 사용했다. 로버트 카로가 쓴 모세스의 자서전 《파워 브로커, The Power Broker》를 보면 모세스가 목표를 달성하기 위해 거짓말을 하고, 타인의 명성에 흠집을 내고, 동료를 위협했다고 기록되어 있다. 모세스의 사례를 두고 고민하게 되는 이유는 그가 개인적인 욕심을 추구하지는 않았기 때문이다. 그는 열정적으로 일했고, 검소하게 살았으며, 부를 축적하지도 않았다. 그가 논란의 여지가 있는 행동을 한 이유는 목적을 이루기 위해서였다. 당신은 조직에서 로버트 모세스와 같은 사람을 이미 만났을지도 모른다. 목적을 성취하기 위해서는 수단과 방법을 가리지 않는 사람 말이다. 하지만 당신이 이 책을 읽고 있는 이유 중 하나는 당신이 양가감정을 느끼기 때문이 아닐까? 반드시 이루길 원하는 목적을 위해서는 과연 어떤 노력이 필요한 것인지에 대해서 말이다. 안타깝게도 완벽한 해결책은 없다. 어떤 전략이 당신이나 타인의 윤리 기준에 다소 반하는 것임에도 불구하고, 시도할 만한 가치가 있는 것인지를 판단하는 명확한 판단 기준은 존재하지 않는다.

셋째, 끊임없이 질문하라. 수단이 목적을 정당화하고 있지 않은가? 결과를 평가하기 위해 어떤 정보를 사용할 것인가? 자기기만이나 합리화를 하지 않기 위해 누구와 함께 어떤 과정을 통해 평가할 것인가? 짧은 시간에 내린 결정이지만 지속적인 효과를 나게 하려면 어떻게 해야 할까? 이런 질문들을 열린 태도로 대함으로써, 더욱 사려 깊은 모험을 해나갈 수 있고 후회할 만한 결정을 줄일 수 있다.

## 발코니에서 바라보기

**Q1** 안전지대를 벗어났더라면 더 성공적으로 리더십을 발휘했을 경험을 떠올려보라. '현재의 어댑티브 챌린지에 어떻게 접근할 것인가'라는 질문에 그 경험은 어떤 점을 시사하는가? 만약 당신이 로버트 모세스 같은 유형이라면 목적달성을 위해 조직 및 문화적 규범을 넘어선 전략을 사용한 적이 있는지 생각해 보라. 성공 여부를 떠나서 그런 전략들이 필요했는지, 혹은 그 당시에 활용 가능한 다른 방법이 없었기 때문에 실행한 것인지 생각해 보라. 그 경험을 통해 현재 상황의 해결방법과 관련해 깨달은 바는 무엇인가?

Q2 당신이 만들어보고 싶은 적응적 변화의 목적을 〈표5-1〉에 작성해보라. 〈질문1〉에는 그 목적달성을 위해 실행 가능한 일을 적어보고, 〈질문3〉에는 너무 과해서 절대로 하지 않을 법한 일들이지만 목적을 달성하기 위해서 실행 가능한 일을 적어보라. 〈질문2〉에는 〈질문3〉에 쓴 것만큼 과하지는 않지만, 현재의 행동보다는 대담하게 실행으로 옮길 수 있는 일을 적어보라. 하루쯤 지나고 나서 〈질문2〉에 작성한 행동을 다시 한 번 점검하라. 그 중에 실행 가능한 행동이 있는지, 〈질문3〉에 작성한 행동을 기꺼이 해 볼 만한 상황이 있는지 생각해 보라.

**나의 목적**

| 질문1<br>내가 지금<br>하고 있는 일 | 질문2<br>내가 할 수도 있는<br>새로운 일 | 질문3<br>내가 결코<br>하지 않을 일 |
|---|---|---|
| | | |

〈표5-1〉 목적에 충실하기

## 현장에서 적용하기

Q1 당신이 중요하게 여기는 목적을 말해보라. 삶의 다양한 영역에서 그 목적을 공유할 수 있는 열 명의 이름을 적어보라. 그 목적을 이루기 위해서 그들이 무엇을 했으며 어떤 일을 더 할 수 있는지 물어보라.

Q2 사람들은 큰소리 내는 것을 불편하게 여긴다. 당신도 그렇다면, 소리치는 연습을 해보자. 아직은 낯설지만 어댑티브 리더십에 잠재적으로 유용할 수도 있는 행동을 익히는 것이 어떤지 느껴볼 수 있을 것이다.
당신이 캣우먼이나 헐크가 되었다고 상상해보라. 어떤 것에 짜릿한 열정을 느꼈거나 화가 났을 때 소리를 질러본다. 다른 사람의 얼굴을 할퀴거나 주먹을 휘두를 정도까지는 아니지만, 얼굴이 빨개지도록 한번 소리쳐보라(그것이 단지 평소보다 목소리를 조금 높이는 것일지라도 말이다).

우리는 일상적인 업무, 해결해야 할 문제, 끊임없는 요청 속에서 목적을 잊어버리곤 한다. 하지만 목적을 잊어버리면 삶의 의미를 찾는 능력도 잃어버린다. 따라서 매일의 삶 속에서 목적과 연결되어 있는 것은 중요하다. 목적을 상기시키는 물리적 장치나 의식을 통해 목적과 계속 연결되어 있을 수 있다.

### 목적을 상기시키는 물건 physical reminder

매일 보는 어떤 물건은 우리가 어려움을 극복하면서까지 이끌고자 하는 목적을 상기하는 데 도움을 준다. 그 물건을 자주 보고, 그 물건과 연결된 사람(친구, 가족, 동료)이 더 많을 경우 당신은 목적을 유지해야 할 책임감을 더 강하게 느낄 것이다. '목적을 생각나게 하는 물건'의 예를 들어보자.

(1) 언제든지 펼쳐볼 수 있도록 혹은 상징적으로 침대 옆에 놓아둔 영감을 주는 책 (2) 회사 책상에 올려놓은 존경하는 인물이나 멘토의 사진 (3) 항상 눈에 띄도록 벽에 붙여놓은 영감을 주는 문구나 구절 (4) 세상을 떠난 소중했던 친구나 가족의 유품으로, 특정한 목적과 우선순위를 충실히 지키게 만드는 물건.

우리는 지역사회의 교육개혁을 위해 일하는 사람들과 만난

적이 있는데 그들은 회의 때마다 "우리는 어린이를 위해 일합니다."라고 적힌 티셔츠를 입었다. 잘 알고 지내는 공직자 중 한 사람은 지갑에 루스벨트 대통령의 유명한 연설문 '경기장 안의 투사 man in the arena'가 인쇄된 카드를 지갑에 넣어 다닌다. 그는 매일의 일상과 정치 생활을 하는 동안 지치는 일이 있을 때 그 카드를 보면서 다시 집중력을 회복하고, 목적을 상기시키고, 용기를 낸다. 우리 또한 컨설팅 과정에서 사람들에게 가끔 거북이 모형을 나눠주기도 한다. 이는 거북이가 외부의 위험에도 불구하고 목을 내밀듯이 성장을 위해서는 위험을 무릅써야 한다는 것을 상기시키기 위해서다.

### 리추얼 ritual, 의식

모든 조직에는 리추얼이 있다. 리추얼은 반복을 거듭해서 문화적인 유전자로 자리 잡는다. 예를 들어 조직 안에서 회의를 시작하는 방식, 신입 사원과 친해지는 법, 점심을 같이 먹는 그룹을 정하는 방식, 회의 후 자판기 앞에 모여 잡담을 나누는 방식들은 모두 리추얼이라고 할 수 있다.

매일의 조직 생활에서 일어나는 리추얼을 잘 활용하면 조직이 지향하는 가치에 즉각적으로 연결될 기회를 만들 수 있다. 새로 선출된 주 의원들을 위한 오리엔테이션 프로그램을 예로 들어보자. 이들은 오리엔테이션을 통해 법안 작성법부터 의사당 안 화장실 위치까지 알게 되지만 그들이 선거에 출마하고 국민을 섬기려고 했던 중대한 이유를 상기시키지는 않는다. 워싱턴과 캔자스주에서는 선출된 의원들의 오리엔테이션 프로그램에 목적과 소명을 상기시키는 세션을 넣었고, 오리엔테이션이라는 기존의 리추얼을 통해 그들의 목적과 소명을 기억하도록 했다. 어떤 조직은 정기회의 후 회고를 통해 목적 달성에 진전이 있었는지 질문하기도 한다.

이렇게 기존의 리추얼을 활용해 목적을 강화할 수도 있고, 새로운 리추얼을 만들 수도 있다. 알렉산더가 멋진 체형을 만들기 위해 시도했던 리추얼을 하나를 예로 들어보자. 그는 텔레비전에서 건강식품 광고가 나올 때마다 팔굽혀펴기를 하는 자신만의 리추얼을 만들었다. 그는 팔굽혀펴기를 더 많이 하게 됐고, 텔레비전은 더 적게 보게 되었다. 숲을 산책하거나, 일기를 쓰거나, 멘토나 영감을 주는 사람들과 정기적으로 점심을 먹는 것은 모두 당신이 목적과 연결될 수 있게 도와주는 리추얼이다. 어떤 조직은 목적을 생생하게 유지하기 위해 미팅으로 꽉 찬 일정 속에도 조직원들이 자신을 돌아볼 수 있는 워크숍을 정기적으로 진행한다.

## 발코니에서 바라보기

Q1 지난 3개월 동안 당신이 가진 큰 목적과 가장 잘 연결되어 있다고 느낀 순간이 언제인가? 그 일이 일어났던 장소, 함께 있었던 사람, 하고 있었던 일을 포함하여 그 순간을 상세하게 기억해보라. 무엇이 목적과 연결된 느낌이 들게 했는가? 그 경험에서 당신이 배운 것은 무엇이고, 당신의 목적을 상기시켜줄 심볼이나 리추얼이 될 만한 것은 무엇인가?

Q2 일상생활에서 당신의 목적과 연결되도록 도와주는 물건이나 매일 혹은 매주 하는 정기적인 활동을 적어보라.

## 현장에서 적용하기

Q1 우리는 목적의식이 강한 사람들이나 공동체 주위에 있으면 자신의 목적을 더욱 자주 생각하게 된다. 목적과 연결하려고 정기적인 활동을 하는 사람들과 2주간 매일 일정한 시간을 보내보자. 예를 들어 종교 행사에 참여하거나, 독서 프로그램이나 강의에 참석하거나, 초등학교 교사와

이야기를 나누어보거나, 응급실 대기 장소에서 시간을 보내거나, 무료 급식소에서 일해보라.

Q3 다음 회의의 안건을 작성할 때 각 안건이 조직의 큰 목적과 어떻게 연결되어 있는지 적어보라.

Q4 가치 있게 여기는 적응적 변화의 핵심 목적을 한 문장으로 정리하여 리더십 모토로 만들어보라. 한 문장으로 축약하는데 시간이 꽤 걸릴 수도 있다("시간이 많았더라면 더 적은 단어로 글을 썼을 것이다"라고 파스칼이 말한 것처럼 말이다). 핵심 목적을 한 문장으로 만들었다면, 그것을 외우고 매일 아침 일어났을 때 되새겨보라. 출근하자마자 그 문장을 주문처럼 소리 내 외우고, 퇴근 후에 집에 도착해서도 소리 내 외워보라. 직장 내에서도 이를 나눌 만한 사람들이 있다면 공유해도 좋다. 몇 주 동안 이 의식을 한 뒤, 어떤 변화가 있었는지 자신과 다른 사람에게 물어보아라.

Q5 매일 점심 후 5분의 시간을 할애해서 오후에 할 일을 생각해보라.

## 목적들을 절충하라

사람들은 여러 가지 목적과 우선순위 가운데 살아간다. 당신은 다양한 목적과 조직의 우선순위 중에 자신만의 조합을 가지고 추구하고 있을 것이다. 그리고 그 조합에는 당신과 조직이 앞으로 나아가야 할 방향이라고 생각하는 비전이 담겨 있다. 하지만 조직 안에는 많은 목적이 존재하고, 그중 이사회나 임원들이 지지하는 목적은 사람들이 더 주목한다. 어댑티브 리더십은 다양한 목적들을 이해하고 각각의 목적들이 서로를 무력화하지 않도록 적절하게 중재해야 한다.

이 과정을 위해서는 다른 사람들의 목적을 이해할 필요가 있다. 당신이 올바르다고 생각하는 방향과 관점의 차이가 있을지라도 다른 사람의 관점에서 그들의 우선순위를 파악해야 한다. 마찬가지로, 당신도 자신의 목적을 드러내고 다른 사람들이 그 목적에 대해 질문하고 도전할 수 있도록 해야 한다. 다시 말해, 당신이 진정으로 원하는 방향으로 가기 위해서 처음에 목적했던 곳이 아닌 다른 곳으로 갈 수도 있다는 것을 받아들여야 한다. 예를 들어 자동차 회사의 환경문제 담당 부사장은 친환경 차량 개발에 열정적이고 헌신하고 있지만, 회사의 생존을 위해 단기 수익을 창출하는 임무를 수행해야만 할 수도 있다.

많은 사람은 목적을 타협하고 절충하는 과정을 회피한다. 목적을 절충한다는 것은 자신의 목적이나 우선순위를 공유하고 지지하는 이에 대한 배신이라고 느끼기 때문이다. 절충하면 포기해야 하는 일이 발생하고, 결과적으로 지지하는 사람들을 실망시킬 수도 있다. 실제로 지지자들이 당신을 '배신자'라고 말할 수도 있다. 그들은 자신의 진정성을 지킨다는 명목으로 다른 우선순위를 가진 사람들과는 목적에 관한 논의조차도 회피한다. 또는 자신의 의견이나 가치를 주장하지 않아도 되는, 비슷한 생각을 하는 공동체를 찾아 조직을 떠날 수도 있다.

사실 목적 중 어떤 부분은 타협할 수 있고 어떤 부분은 타협할 수 없는지 결정하는 것은 어렵다. 두 자녀를 둔 알렉산더는 좋은 아버지가 되기 위해 노력한다. 그러나 많은 부부가 그렇듯이 알렉산더와 그의 아내의 양육 방식에는 이견이 있고, 자신의 의견 중 어떤 부분을 타협할지 결정하는 데 어려움을 겪는다. 자신이 좋다고 믿는 양육 방식을 포기하는 것은 자녀들은 물론 자신을 키워주신 부모에게도 불성실한 태도라고 느끼기 때문이다.

다른 사람들이 당신의 목적을 지지하게 만들 수 있는 다른 방법은 없을까? 목적을 다른 사람들이 이해하고 호의적으로 반응할 수 있는 언어로 전달하는 것이다. 당신이 의료보험 제도 개정을 위해 헌신적으로 일하고 있다고 가정해보자. 어떤 사람에게 지지를 요청하느냐에 따라 목적의 어떤 부분을 강조할지가 달라진다. 재정 사용에 보수적인 의견을 가진 사람과 이야기한다면, 의료보험 제도 개선으로 인한 경제적 혜택을 강조해야 한다. 의료보험제도의 질과 안전성이 높아지면 효율증대로 비용이 절감될 것이라고 설명해야 한다. 하지만 진보 성향의 활동가를 만난다면, 전반적인 의료 수준을 향상해야 한다는 도덕적 의무를 중점적으로 설명해야 한다. 의료 서비스 제공자와 이야기를 나눈다면, 그들이 겪었던 끔찍한 관료주의적 업무를 줄이는 데 중점을 두어야 한다.

이견을 가진 사람들에게 목적을 설명할 때는 상대방의 언어를 사용하는 것이 매우 중요하다. 카트리나 태풍이 지나간 후에 뉴올리언스에 닥친 복구 자금 부족 문제를 생각해보자. 만약 당신이 루이지애나주 이외의 다른 주에 지원금을 요청하는 어려운 일을 맡았다고 상상해보자. “기부는 옳은 일입니다”라는 단순한 도덕적 논거로는 설득하기 어렵다. 하지만 그들의 목적과 당신의 목적이 연결되어 있다는 것을 보여준다면 더 나은 결과를 얻을 수 있다. 예를 들어 극단적 애국주의자인 주 상원의원을 만나고 있다고 해보자. 당신은 국가적인 자긍심을 주제로 대화를 이끌어갈 수 있을 것이다. 즉, "미국인은 자국민을 돌봅니다. 미국 땅에서 자국민이 비참하게 살아가는 것을 내버려 둘 수 없습니다. 전 세계에 이런 현실을 보여줄 수 없습니다"라고 말할 수 있다.

목적을 절충하고 상대방의 언어를 사용하는 것과 더불어 목적을 구체화하는 것도 필요하다. 즉, 실행에 있어서 목적과 계획, 전략, 일정 등이 구체적이어야 한다. 높은 열망만을 제시하기보다는 구체적인 형태로 목적을 전달해 사람들이 이해할 수 있도록 해야 한다. 마틴 루터 킹 목사가 시민 평등권 운동을 할 때 미국 북부 사람들의 지지를 받기 어려웠으나 매일 저녁 텔레비전에서 흑인이 폭행당하는 생생한 영상이 전파를 탄 후에는 상황이 달라졌다. 킹 목사가 헌신하고 있는 평등권 문제가 시각적으로 전달되자, 그의 목적이 북부 사람들에게 고스란히 전해질 수 있었다. 그러자 많은 북부 사람들은 정치적, 경제적, 개인적인 지원을 통해 그의 대의를 지지하기 시작했다.

중요한 목적을 이루는 데는 시간이 걸린다. 목적을 향해 가지 않고 한 발자국 옆으로 간다고 해서 목적을 저버린 것이 아니다.

## 발코니에서 바라보기

Q1 목적을 성취하기 위해서 그룹이나 조직에서 누구의 지원이 필요한지 생각해보라. 당신이 가진 그들에 관한 배경지식을 바탕으로 그들의 목적이 무엇인지 파악해보라. 당신의 목적이 그들의 목적에 맞추어 조정될 부분은 있는가? 다른 사람들의 목적을 위해, 당신의 목적 중에서 어떤 것을 희생할 수 있는가?

## 현장에서 적용하기

Q1 당신의 목적을 가지고 길거리로 나가보라. 조직 내 다른 사람들과 목적에 대해 이야기하고, 목적을 위해 어떤 노력을 하는지 구체적으로 설명하라. 사람들이 어떤 이미지, 말, 정보에 공감하고 어떤 것들에 그렇지 않은지 주목하라.

## 야망과 열망을 통합하라

마티와 로널드는 하버드에서 수십 년간 학생들을 가르치면서 흥미로운 현상을 발견했다. 공공 서비스와 관련된 하버드 대학원(예를 들어 케네디 행정 대학원, 교육 대학원, 공중보건 대학원, 신학 대학원)의 학생들은 그들의 고상한 목적과 자신의 열망aspiration은 편하게 이야기하는 반면, 자신의 야망ambition을 언급하는 것을 불편하게 여긴다. 그들은 권력, 재물, 권위, 인정, 명성 등을 향한 욕망을 모두 금기로 여긴다. 반대로, 하버드 경영 대학원과 법학 대학원 학생들은 재물과 지위에 대한 야망을 거리낌 없이 이야기한다. 하지만 고상한 열망을 이야기하는 것은 불편해한다. 이런 것을 공개적으로 이야기하면 '현실 세계'에서 이해받지 못할 공상적 박애주의자처럼 보일까 봐 걱정한다.

대학원의 문화나 가치를 반영한 이야기이지만 두 시각 모두 편협하다. 야망과 열망 두 가지를 모두 가질 수 있고, 동시에 추구할 수 있다. 미국 역사에서 존경받는 대통령들은 모두 야망이 컸고 공적인 리더십에 필요한 정치적 수완을 지녔다. 또한, 그들은 국가를 위해 최선을 다하겠다는 고상한 열망도 있었다. 그들의 야망과 열망은 통합되어 있었고 상호 배타적이지 않았다.

비즈니스에서도 정치 분야에서처럼 야망과 열망을 통합할 수 있다. 로널드는 의사 초년생 때 뉴욕시의 한 병원에서 경영진이 1년에 한 번씩 정기검진을 받으러 오는 곳에서 일했다. 그곳에서 로널드는 많은 최고 경영자 및 수석 부사장들이 50대 후반이 되면서 점점 더 공적인 목적에 관심을 보이는 것을 관찰했다.

글로벌 회사를 창업하고 이끌어오는 데 밑바탕이 되었던 야망을 넘어 이제 열망까지 갖게 된 것이다. 그들은 회사의 역량 일부를 공적인 목적을 달성하는 데 쏟고 싶어 했다. 이는 마치 삶의 유한성을 알리는 알람과 같았다. 사업에서 '성공했다'고 하지만 그들은 자신이 이미 이룬 것보다 더 실제적 의미를 지닌 유산을 남기고 싶어 했다.

물론 때때로 야망과 열망 사이에서 균형을 맞춰야 할 때도 있다. 예를 들어 우리의 일상에서 가족과 시간을 보내고 싶은 열망은 직장에서 중요한 목표를 성취하고 싶은 야망과 종종 충돌한다. 우리는 야망과 열망의 균형을 맞추어야 하는 지속적인 긴장 속에서 살고 있다. 어떻게 하면 두 가지 모두를 지키며 살 수 있을까?

우리는 당신이 야망을 품고 있다고 죄책감을 느끼지 않길 바라고, 열망을 품는 것에 부끄러움을 느끼지 않길 바란다. 물론 어떤 경우에는 이런 죄책감과 부끄러움 때문에 당신은 더욱 올바른 행동을 할 수도 있다. 하지만 이런 감정들은 당신이 좋은 일을 할 수 있는 다양한 선택을 제한할 수도 있다. 야망과 열망을 자유롭게 탐색하기 위해서는 자신이 이해하는 자신의 모습과 타인이 당신에게 기대하는 모습을 점검하고 수정할 수 있어야 한다. 타인의 기대가 당신의 삶을 지배할 때, 전인적 인간인 자신의 모습을 잃고 더 큰 가능성을 배제한 채 좁은 범위의 인생을 살게 될 수도 있다.

## 발코니에서 바라보기

**Q1** 당신의 야망은 무엇인가? 당신의 열망은 무엇인가? 이 두 가지는 어떻게 상호작용하고 있는가? 당신은 자신의 야망에 대해 어떻게 느끼는가? 열망에 대해서는 어떻게 느끼는가? 이 감정들이 당신의 결정에 어떤 영향을 미치는가?

## 현장에서 적용하기

**Q1** 위에서 정리한 야망을 당신이 충성심을 가지고 있는 공동체(동료, 공동체, 선대)와 공유하라. 당신의 야망을 흔쾌히 들어줄 공동체부터 시작해서 가장 어려운 공동체로 이동하라. 반응을 덜 보이는 공동체에는 애매하게 설명하지 말고 당신의 야망을 보다 솔직하게 말해보라.

**Q2** 당신의 열망에 대해서도 말해보라. 예를 들어 "나는 돈을 많이 벌어서 신나고 편안한 휴가를 즐기며 살고 싶다"고 말해보라.

## 전형적인 함정을 피하라

목적의식은 리더십을 발휘하는 데 필수적이다. 목적은 리더십이라는 험난한 여행을 견딜 수 있는 영감과 힘을 제공한다. 하지만 아래와 같은 전형적인 함정들은 목적을 추구하는 데 걸림돌이 될 수 있다.

### 전형적인 함정

- **눈과 귀 가리기**

  고상한 목적으로 인한 열정과 헌신은 당신의 눈과 귀를 가릴 수 있다. 하나에 집중하고 전념할수록 반대의 데이터를 보고 듣는 것도 어려워지고, 중간 궤도를 수정하라고 알려주는 신호를 알아차리기도 어려워진다. 예를 들어 빌 클린턴 대통령은 임기 초반에 의료 정책 개혁을 대대적으로 제안했다. 하지만 그는 대의에 지나치게 몰입된 나머지, 이 실험적 정책이 온건하게 제안되지 않으면 법률로 채택될 가능성이 적다는 신호를 읽지 못했다.

- **순교자 되기**

  숭고한 목적에 헌신 된 사람은 불필요한 상황에 부닥칠

수도 있다. 예를 들어 이미 실패한 목적을 계속 옹호하다 조직에서 따돌림을 당하거나 심지어 해고되기도 한다. 목적(직업적 의미의)이 목숨까지 감수할만한 것으로 여겨지기 때문에 위와 같은 갈등을 겪을 수 있다. 하지만 동시에 차라리 순교자(예를 들어 임원 회의에서 매번 같은 문제를 제기하기)가 되려고 할 수도 있다. 순교자가 되는 것이 어쩔 수 없는 타협이나 좌절스러운 실패를 맛보는 것보다 나은 선택처럼 느껴지기 때문이다.

- **독선적으로 보이기**

  만약 당신이 옳다는 것을 드러내놓고 확신하면 독선적으로 보일 수도 있다. 사람들은 독선적인 당신에게 저항할 수도 있다. 어떤 사람들은 저항을 위한 저항을 할 수도 있다. 또 어떤 사람들은 지배적인 부모 아래에서 자란 느낌을 떠올리면서 당신의 독선에 반응할 수 있다. 당신의 목적을 방해하기 위해 사춘기 아이처럼 반항할 수도 있다. 우리는 이 같은 덫에 걸린 최고 경영자들을 많이 알고 있다. 실제로 그들은 직원들에게 "여러분은 내가 원하는 것 외에 다른 선택권이 없습니다"라고 지속해서 말한다. 이런 최고 경영자들은 회사의 방향을 통제하기 때문에 직원들이 회사에 대한 주인 의식을 갖는 것은 불가능해진다.

- **'목적' 관리자**chief purpose officer **되기**

적응적 변화를 이끌어갈 때, 조직에서 실행되는 일련의 시도들은 매우 중요한 목적과 연결되어 있다는 것을 조직원들에게 상기시키는 것이 중요하다. 하지만 너무 과도하게 연결하지 말라. 일상적인 모든 사건과 결정이 조직 전체를 아우르는 목적과 관련이 있는 것은 아니다. 어떤 사람이 프로이트 박사에게 시가 담배의 의미를 묻자, 그는 "시가는 때로는 그냥 시가일 뿐입니다"라고 대답했다. 당신이 모든 사건과 결정, 회의에서 목적을 주입하려고 하면, 사람들은 당신이 말하는 목적에 지쳐서 귀를 기울이지 않게 되고, 당신은 결국 자신을 주변으로 내몰게 된다. 그것 자체로도 당신의 목적은 훼손된다. 마치 목적을 관리하는 사람으로 임명된 것처럼 행동하지 말라. 어떤 사건이나 결정이 목적과 실제로 연관되어 있을 때만 사람들에게 그것에 대해 상기시켜라.

Q1 자신의 행동을 되돌아보라. 위의 네 가지 함정 중에서 당신이 가장 취약한 부분은 무엇인가? 예를 들어 당신의 생각을 수정하거나 타협해야 할 필요가 있는 예를 들어 생각을 수정해야 할 때, 새로운 관점이나 정보가 제시되었을 때, 어떻게 행동하는가?

Q2 쉽게 포기하는 경향이 있다면 상황이 점점 힘들어질 때 어떻게 행동하는가? 포기하거나 순교자가 되는 선택을 하지는 않는가? 목적을 너무 공격적으로 자주 알림으로써 저항을 일으키지는 않는가? 사람들이 불편해하고 당신을 피할 정도로 목적을 쉬지 않고 이야기하지는 않는가?

## 현장에서 적용하기

**Q1** 당신의 목적에 동의하거나 그것을 공유하는 사람들을 당신의 실행안에 동참시키고, 그들에게 일정 기간 주도해보라고 부탁하라. 그들이 어떻게 실행안을 실현하는지 관찰하라. 가장 성공적인 그들의 전략은 무엇인가?

**Q2** 그들이 빠진 함정은 무엇인가? 그들의 경험에서 어떤 교훈을 얻었는가? 당신이 다시 리더십을 발휘할 때 그것을 적용할 수 있겠는가?

# 5.2

## 용감하게 참여하라

Engage Courageously

마티는 청년 정치인 시절에 선거 유세를 위해 매일 가정방문을 한 적이 있다. 당시 가장 어려웠던 것은 첫 번째 집의 초인종을 누르는 것이었다. 가정방문을 하다 보면 결국 거절을 경험해야 하기 때문이었다. 운 좋게 첫 번째 집에서 문을 열어주더라도 또 다음 집에서는 거부당할 수 있었다. 거절당하는 것을 싫어했기 때문에, 집집마다 방문하며 선거 유세를 할 용기를 내는 것이 어려웠다. 심지어 집 밖으로 나오지 못한 날도 있었다.

리더십을 발휘할 용기를 내는 데 최소한 다섯 가지의 방해 요소가 있다.

- 당신이 옳은 일을 하고 있다고 믿어주지 않는 사람들을 향한 충성심
- 무능함에 대한 두려움
- 올바른 길을 가고 있는가에 대한 불확실함
- 손실에 대한 두려움
- 리더십 여정의 어려움을 견디는 용기 부족

이제 각각의 요인을 살펴보고 그것들을 극복하기 위한 아이디어를 제시할 것이다.

적응적 변화adaptive change를 잘 이끌기 위해서는 충성심을 조정해야 한다. 당신이 충성심을 느끼는 사람을 직접 만나서 마음을 열고 이야기를 나누어보라. 지금 당신이 처한 상황을 잘 설명하고, 당신에 대한 기대를 모두는 아니지만, 일부 재정비해야 할 필요가 있다는 것을 설득해보라. 대부분의 사람은 이해해주겠지만 모두를 설득하기는 어려울 것이다. 사실 이런 설득 과정은 잘 해내기가 매우 어렵고 위험하기까지 한 일이다. 이스라엘의 이츠하크 라빈 총리와 이집트의 안와르 사다트 대통령은 모두 이 설득 과정에 실패하여 자기 민족으로부터 암살당했다.

중동 평화 협상의 진행 과정은 충성심을 조정해간다는 것이 무엇인지를 잘 설명해주는 사례다. 양측의 협상가들은 선택 가능한 안을 찾기 위해 국민, 공동체, 선조와 같은 자신들의 충성심을 재점검했다. 그들은 이미 정체성의 일부가 되어버린 다양한 관점들과 주장들을 다시 점검해야 했다.

팔레스타인 난민 대부분은 그들의 땅으로 돌아가기를 원했고, 반대로 이스라엘 정착민 대부분은 마침내 그들의 고향에 돌아왔다고 믿었다. 협상가들이 각 국가의 국민과 공동체를 협상에 참여시키는 전략을 실행하기 위해서는, 정착민과 난민 문제가 발생할 때마다 양측 협상단은 각국의 국민과 공동체를 협상 과정에 참여시키기 위해 이런 거부반응에서 벗어나야 했지만 협상은 계속 결렬되었다. 하지만 중재를 거듭하면서, 이전에는 토론할 수 없어 보였던 주제들을 토론하기 시작했다. 결국 협상을 한다는 것은 그들이 오랫동안 지켜왔던 충성심을 재정비해야 한다는 것을 깨닫게 된 것이다.

마찬가지로 조직에서 적응적 변화를 이끌어갈 때, 당신이 가지고 있는 충성심은 큰 영향을 미친다. 이 충성심은 당신이 어떤 질문을 던지는지, 가장 원하는 변화의 방향은 무엇인지, 어떤 의견을 듣고 싶어하는지를 결정한다. 충성심은 눈앞에 닥친 문제를 해석하고 해결하는 데 엄청난 영향을 미친다. 예를 들어 조직에서 발생한 문제를 해결할 이상적 방법이 있더라도, 이해관계자를 화나게 하고 싶지 않은 충성심 때문에 그 방법을 거부할 수도 있다. 충성심으로 인한 제약을 어떻게 완화할 수 있을까? 다음의 과정을 시도해보기 바란다.

### 1단계 : : 말과 행동의 차이를 주의하라

자신의 가치와 우선순위를 어떤 이야기로 풀어내는가? 당신의 행동이 그 이야기를 뒷받침하고 있는가? 중동 이야기로 돌아가 보자. 양측은 공식적으로는 평화를 원한다고 말했지만, 실제적이고 지속 가능한 평화 협정을 맺지는 못했다. 조직에서 목적과 관련하여 성취하고자 하는 것은 무엇인가? 그리고 실제로 성취하고 있는 것은 무엇인가?

### 2단계 : : 현재에 집중하라

만약 당신이 과거에 일어났던 일들을 근거로 현재 자신의 태도나 행동을 정당화하고 있다면, 과거를 과거로 남겨두기는 어렵다. 하나의 사례로, 전문 서비스를 제공하는 한 대기업은 20년 전에 성과 보상 제도 문제로 회사가 문을 닫을 위기를 겪었다. 임원진은 과거의 일을 여전히 부정적으로 인식하고 있어서, 지금의 보상 제도를 검토하자는 의견조차 거부하고 있다. 위의 사례처럼 예민한 반응들은 아직 과거가 현재를 지배하고 있음을 보여준다. 이를 벗어나려면 동료들이 문제에 대해 자유롭게 이야기할 수 있도록 돕고, 지금의 문제가 과거와 어떻게 다른지 분석해야 한다. 또한, 과거의 상처를 극복하고, 현재 직면한 도전에 대응할 더 나은 해결 방법을 열린 마음으로 찾도록 도와야 한다.

### 3단계 : : 재정비해야 할 충성심을 파악하라

동료, 공동체 구성원, 선대가 당신에게 가진 기대를 파악하라. 과거에서 벗어나 앞으로 나아가기 위해 필요하다면 그 기대를 재정비해야 한다. 위에 언급한 회사를 예로 든다면, CEO는 보상제도를 개편하기 전에 자신의 멘토와 회사 내 원로들과 대화를 나눌 필요가 있다.

### 4단계 : : 해야 할 대화를 피하지 말라

충성심을 느끼는 사람을 개별적으로 찾아가고, 그들의 기대가 어떻게 변하길 원하는지 이야기하라. 대화가 쉽지 않을 수도 있다. 무례해 보이는 부분이 있다면 양해를 구할 수도 있다. 이 대화로 우정이나 신뢰에 금이 갈 수도 있다. 자신의 멘토와 대화를 나눌 때 그를 실망시키거나 관계가 소원해질 수도 있다.

어쩌면 대화를 나눌 때, 충성하는 그룹과 그들의 기대에 대한 당신의 생각이 드러날 수도 있다. 마티는 아버지가 인생의 마지막 시기를 보낼 때 그런 대화를 나눈 적이 있다. 그는 유대인 회당에 정기적으로 예배를 나가야 한다는 암묵적인 합의를 재조정하기로 마음먹고 아버지를 찾아갔다. 아버지가 돌아가시기 전에 이 대화를 나누지 않으면 가족을 향한 충성심 때문에 마음에도 없는 예배를 계속 나가야 할 것 같았다. 마티는 "아버지, 드릴 말씀이 있습니다. 아버지가 아니었다면 지난 몇 년간 예배에 나가지 않았을 것입니다"라고 말했다. 아버지는 "참 재미있는 이야기로구나. 나 역시 너를 위해서 예배에 나갔던 것인데 말이다"라고 대답했다. 두 사람 모두 서로에 대한 기대 때문에 예배에 참석한 것이었다. 이 대화로 부자는 서로 엄청난 안도감을 느꼈고 상대를 새롭게 이해하게 되었다.

### 5단계 : : 선조를 향한 충성심을 재정비하는 의식을 만들어라

대화해야 할 상대가 이미 고인이 된 선조이거나 더는 연락이 안 된다면, 그들에 대한 비생산적인 충성심을 버릴 수 있는 의식을 만들어라. 그 충성심을 상징하는 책이나 물건을 버리거나, 그 사람의 묘지에 가서 당신이 계약처럼 여겼던 것을 더는 지키지 않을 것이라고 말해보라. 비록 대답을 들을 수는 없지만 사과하고 용서를 구할 수도 있다. 당신이 해야 하는 것들을 왜 해야 하는지 편지로 써 볼 수도 있다.

로널드는 여동생, 어머니 벳시와 함께 어머니 고향인 동유럽에 60년 만에 방문했다. 처음에 벳시는 고향 방문에 흥미를 보이지 않았다. 하지만 자식들이 과거의 두려움을 안고 산다는 것을 알고 동행하게 되었다. 유년 시절의 여름을 보냈던 우크라이나의 마을에 도착하자 벳시는 활기를 되찾았다. 유년 시절 나누었던 이야기, 농담, 연애사, 동네 사람들 등 옛 기억이 생생하게 되살아났다. 흑백사진처럼 바래버린 추억이 아름다운 색으로 되살아난 것이다. 놀랍게도 친척들과 친구들이 아직 살아있다는 것도 알게 되었다.

농장 벌판에 버려진 무덤을 거닐면서 벳시는 할머니의 묘지를 발견했다. 벳시의 할머니 사라는 전쟁 직전에 돌아가신 분이었다. 로널드는 마음속으로 증조할머니 사라에게 이렇게 질문했다. "제가 할머니의 삶을 어떻게 기릴 수 있을까요?" 로널드는 할머니의 대답을 들은 것 같았다. "인생은 축복이란다. 그저 행복하게 살아라"

### 6단계 : : 지키고 싶은 것에 집중하라

더이상 유익하지 않은 관점들을 버리는 경우에도, 그 속에 있는 핵심 원칙과 가치를 버린 것은 아니라는 점을 기억하라. 충성심을 모두 버린 것이 아니라, 앞으로 나아가는 것을 가로막는 것들을 조정한 것이다. 사람들은 당신이 배신했다고 비난할지도 모른다. 그러나 때가 되면 당신이 본질적이고 영구적인 목적에 대한 충성심을 지키기 위해 얼마나 노력했는지를 알게 될 것이다.

## 발코니에서 바라보기

Q1 당신의 삶에 핵심적인 영향을 주는 사람의 이름을 모두 적어보라. 사람마다 당신에게 기대하는 바를 적어보라. 그들에게 당신은 어떤 의미인가? 그들이 당신에게 무엇을 원하고, 무엇을 필요로 하는지 생각해보라. 그 중에서 그들의 기대를 만족시키고 싶은 것과 그렇지 않은 것이 무엇인지 점검해보라.

## 현장에서 적용하기

Q1 다음 달에 실행할 것을 정해보라. 위에 적은 것 중 편하게 시도할 수 있는 것을 골라 실천해보라.

Q2 충성심을 재정비할 때 일어나는 충격을 완화시켜보자. 일단 당신의 충성심을 전체적으로 파악해서 하나의 그림으로 그려보라. 당신이 여전히 충성하고 있는 대상들과 실망을 안길 수도 있는 대상들을 모두 그려보라. 그리고 주변 사람들을 직접 만나서 다음과 같이 이야기하라. "어떤 면에서 제가 실망을 드릴 수도 있습니다. 하지만 어떤 면에서는 당신이 자랑스럽게 여기도록 할 것입니다. 저는 목적을 위해 방향을 조정했고, 훗날 당신은 오늘을 떠올리며 저를 자랑스럽게 여기게 될 것입니다."

어댑티브 리더십을 실천하기 위해서 자신의 디폴트를 벗어나 미지의 영역으로 들어가고, 새로운 것을 배워야 한다. 그것은 무능력을 경험하는 과정이다. 역량의 경계선에서 씨름하고 있거나 역량을 벗어난 일을 하고 있다고 생각되지 않는다면, 아마도 어댑티브 챌린지보다는 기술적 과제와 씨름하고 있거나 혹은 어댑티브 챌린지를 기술적 과제처럼 다루고 있을 수 있다.

자신을 발견하기 위해 자신의 무능력함을 어떻게 드러내는가? 두 가지 방법을 소개한다. 첫째, 체계적이고 도전적인 학습기회를 찾아야 한다. 둘째, 진실을 실험 가능한 가설로 재구성해보아야 한다.

**체계적이고 도전적인 학습 기회를 찾아라**

능력의 한계를 뛰어넘을 때 느끼는 혼란과 당황스러움을 줄이기 위해 다음과 같은 방법을 제안한다. 일에서 겪는 어댑티브 챌린지와는 상관없는 새로운 기술을 안전하고도 체계적인 환경에서 배워보아라. 위험성이 적은 환경에서 무능력함을 경험해보는 것이다. 정치가이자 교수였던 마티는 가족이 1995년 뉴욕으로 이사한 후 평생의 꿈을 이루었다. 연기를 배우기로 한 것이다.

열정도 많고 경력도 화려한 젊은 배우들과는 나이 차이가 두 배나 났고, 연기 수업에서 두 번째로 나이 많은 학생이었다. 마티는 이 상황이 매우 끔찍하게 느껴졌다. 그의 평생에 처음으로 느끼는 무능력감이었다. 이후로 연기를 계속하지는 않았지만, 무능력을 어떻게 견디는지는 배울 수 있었다.

스스로의 무능력함을 경험해 볼 수 있는 어떤 환경이나 체험도 좋다. 낯선 종교 공동체를 방문해보거나, 골프나 악기를 배우거나, 졸업한 지 25년이 지난 후에 다시 학생이 되거나, 카리브해에서 스쿠버 다이빙을 배우거나, 새로운 언어를 배우거나, 연극을 배우는 것도 좋다. 한 친구는 외발자전거 타기를 배울 때 느낀 좌절감을 작은 회사를 운영하면서 겪는 도전과 연결하기도 했다.

새롭고 도전적인 아이디어를 추구하라. 사람들이 자신의 관점과 영감을 나누는 곳이라면, 새로운 아이디어는 어디에나 존재한다. 자신의 전공과는 다른 분야에 관심을 가져보라. 여러 분야를 배우면 비유적 관점에서 생각할 수 있고 한 분야의 아이디어나 발명, 발견이 다른 분야에 어떻게 적용될 수 있는지 볼 수 있다.

예를 들어 이 책을 쓸 때 조직이 어떻게 변화하고 적응해야 하는지에 관한 아이디어를 진화 생물학의 적응력 개발 방법에서 가져왔다. 즉흥성이나 경청하기, 안아주는 환경 등처럼 조직에서

도전을 다루는 방법은 음악이나 공연예술에서 실마리를 얻었다. 우리의 한 친구는 비즈니스 컨설팅을 할 때, 가설이 더 큰 가능성을 보지 못하게 가로막는다는 점을 보여주기 위해 마술을 하기도 한다.

### 진실을 가설로 재구성하라

우리는 매일 실제로 일어난 사실을 서로 연결하고, 사실을 해석하면서 이야기를 만들고, 이야기로 현실을 이해한다. 어느 날 아침에 일어난 일을 다음과 같이 묘사한다고 하자. "아침 7시에 일어났다. 커피 한 잔과 함께 베이글을 먹었다. 8시 15분에 회사로 출발해서 9시 15분에 도착했다." 이렇게 사실만을 나열한다면 이야기 안에 해석이나 의미를 담지 못한다. 같은 아침을 이렇게 묘사해보자. "바보같이 레드삭스의 야간 경기를 늦게까지 보느라 전날 충분히 잠을 이루지 못해서 아침 7시에 피곤함이 가득한 채로 일어났다. 그래도 레드삭스가 9회에 역전했으니 다행이다. 출근 시간도 늦어졌고, 허둥지둥하느라 오늘 오후에 동료에게 주기로 한 보고서를 집에 놓고 왔다."

오늘 아침 당신에게 일어난 일을 이야기로 만든다면, 정황에 맞게 어떤 것을 강조할지에 따라 어떤 사실은 이야기에 넣을 것이고 어떤 것은 뺄 것이다. 그리고 사실을 뒷받침할 해석을 덧붙일 것이다. 결론은 의미가 담긴 설명이다. 단순한 사실에는 담길 수 없는 것들, 즉 아침에 일어난 일들 때문에 재미있었거나 혹은 힘들었거나 당황스러웠다고 표현한다. 다른 사람들이 어떤 사실을 포함하고 그 사실을 어떻게 이해하는지와 상관없이 우리는 자신이 포함하기로 선택한 사실을 통해 이해한다. 예를 들어 '이럴 수가, 오늘 아침을 망쳐버렸어'라고 생각하지만 당신의 말을 듣는 동료는 '와, 그 경기를 볼 수 있었다니 정말 운이 좋네! 나보다 훨씬 더 재미있게 산다니까'라고 생각할 수 있다.

조직이 직면한 도전을 이야기하거나, 당신이 만들고자 하는 변화를 이야기할 때도 '의미를 만드는 과정'은 유사하다. 어떤 사실을 강조하고, 포함할지, 의미하는 바가 무엇인지는 당신이 선택했기 때문에, 당신이 전하는 이야기는 하나의 '진실'일 뿐이다. 다른 사람들은 똑같은 과제나 계획에서 다른 사실을 선택함으로써, 다른 이야기를 만들 수 있다. 결과적으로 많은 수의 다른 '진실'이 나온다. 앞서 언급했던 한 회사의 보상 제도 개선의 예를 보면, 현재 시스템이 능력에 따라 보상한다고 주장하고, 다른 그룹은 현재 시스템이 협업의 가치를 깎아내림으로써 매출을 감소시킨다고 주장한다.

한 이야기를 진실로 간주하면 현실을 다르게 해석할 가능성을 잃는다. 그로 인해 다른 사람들과 연결되지 못하고, 행동을 선택하는 폭이 좁아진다. 무능력함을 드러내기 위해서는 현실에 대한 자신의 이야기를 사실이 아닌 일종의 가설로 여기는 연습을 해라. 그리고 그 가설들을 실험하고, 올바른 방향에 있지 않다면 수정하라. 보상 제도를 두고 논쟁하던 두 그룹은 어떤 가정이 목적에 더 부합하는지 알기 위해 위험이 적은 실험을 고안해 볼 수 있었을 것이다.

## 발코니에서 바라보기

**Q1** 무능력을 인정하면서 새로운 것을 배웠던 때가 언제인가? 스스로 무능력하다고 느끼거나 다른 사람들에게 무능력하게 보이고 싶지 않아 어떤 일을 시도하지 않았던 때가 언제인가?

**Q2** 항상 새로운 기술을 배우기를 원하는가? 지금 그 새로운 기술을 배우려면 무엇이 필요한가?

**Q3** 당신의 개인적, 직업적인 영역 혹은 지역 주민으로서 현재 씨름하고 있는 문제는 무엇인가? 그 문제와 연관된 다른 사람의 관점에서 문제를 기술해보라. 그 경험을 통해 무엇을 배웠는가? 그 문제에 관한 당신의 이야기는 어떻게 달라지겠는가?

Q1 조직이 겪고 있는 어댑티브 챌린지를 생각해보라. 자신과 다른 분야에서 종사하는 사람들과 대화해보라. 최근에 그들은 자신들의 전문 분야에 대해 어떤 생각을 갖고 있는지 물어보라. 이런 관점들이 어댑티브 챌린지에 대응하는 당신에게 어떤 실마리를 제공하는지 생각해보라.

Q2 이처럼 다른 분야와의 융합적 사고를 통해 당면한 문제를 해결할 새로운 통찰력을 찾아보아라. 예를 들어 팀원들의 성과를 높이기 원한다고 가정하자. 어느 날, 당신은 미 해군의 시범 비행 편대인 블루 엔젤스의 한 조종사의 강의에 참석하게 되었다. 당신은 조종사 사이의 무한한 신뢰가 블루엔젤스의 뛰어난 시연의 기반이라는 사실을 알게 되었다. 블루 엔젤스는 정기적인 평가와 질의응답 시간을 통해 소통하고 확실한 헌신을 기반으로 서로에 대한 신뢰를 키

워나간다. 안전은 블루 엔젤스에게 매우 중요하다. 매번 시험비행이 끝날 때마다 조종사들 각자는 자신이 무엇을 잘했으며, 더 안전한 시연을 위해 무엇을 하면 좋을지를 나누고 다음 비행을 위한 개선점을 이야기한다. 정기적인 평가와 질의응답으로 팀을 개선할 수 있다고 생각하고, 당신은 주간 회의 시간에 정기적인 질문을 하고 서로에 대한 헌신을 점검하는 새로운 시도를 해볼 수 있다.

어댑티브 리더십을 발휘한다는 것은 어려운 결정을 내린다는 것이다. 어려운 결정을 내리는 것은 여러 가지 이유로 어렵다. 〈표 5-2〉는 그 예를 보여준다.

| 특징 | 사례 |
| --- | --- |
| **우열을 가리기 어렵다** | 어댑티브 챌린지를 해결할 여러 잠재적 실행안은 언뜻 보기에는 중요도가 같아 보지만, 각각 강점과 약점을 가지고 있다. 그러나 그중 하나만을 실행할 수 있다. |
| **알려진 것과 알려지지 않은 것 사이에서 선택해야 한다** | 당신은 상황이 더 나아질 수도 있다고 믿는다. 동시에 현 상황의 실체와 그 상황을 다루는 방법, 문제 해결 방법, 문제 해결 규칙과 그에 따른 보상도 알고 있다. 그러나 아직 알려지지 않은 다른 방법은 시도해본 적이 없다. 새 방법이 상황을 더 나아지게 할 수도 있고 나빠지게 할 수도 있다. 따라서 변화를 위한 실행안을 시작할지 말지를 결정하기 어렵다. |

| 옳은 일은 상당한 손실을 초래한다 | 어댑티브 챌린지를 위한 해결책이 당신이나 주위 사람들에게 손해를 끼칠 수 있다는 것을 알고 있다. 이 손실들이 가치가 있는지, 혹은 피해자들을 책임질 수 있는지 알 수 없다. 예를 들어 실적이 좋지 않은 부서를 해체해야 한다고 생각하지만 이에 따른 해고가 나머지 부서의 사기를 심각하게 저하시키지 않을까 걱정된다. |
|---|---|
| 당신의 여러 가치가 서로 상충한다 | 강력히 믿는 가치가 서로 상충한다면 우선순위를 정할 필요가 있다. 예를 들어 당신은 구성원 모두의 합의에 따른 의사결정이 중요하다고 믿지만, 현재 조직은 중요한 문제를 결정하지 못하고 벽에 부딪혔다. |

〈표5-2〉 무엇이 결정을 어렵게 하는가?

당신은 어려운 결정을 내리기 좋아하거나 혹은 적어도 기꺼이 그렇게 하려는 사람들을 알고 있을 것이다. 한편, 결혼 같은 큰 결정이든 음식을 주문하는 작은 결정이든 결정을 내리는 데 어려움을 느끼는 사람들도 알고 있을 것이다. 변화에 적응하기 위해 어려운 결정을 내려야 할 때, 어떻게 하면 잘 할 수 있을까? 다음의 몇 가지 방법이 도움 될 것이다.

**적응적 변화를 위한 어려운 결정을 내릴 때 필요한 역량 강화법**

- 인생에는 어려운 결정을 내려야 하는 순간이 있다. 우리가 마주한 어려운 결정의 뒤에는 반드시 다른 어떤 것이 있다. 이런 결정에 짜증을 내거나 조바심을 낼 수도 있고, 기꺼이 받아들일 수도 있다. 당신은 마음을 열고 어려운 결정을 받아들이고, 어려운 결정이 갖는 잠재력을 발견해 자라나게 하고, 행동으로 연결하겠다고 다짐해야 한다. 이 과정은 마치 사랑에 빠져 결혼에 이르는 것과 비슷하다. 그래서 어려운 결정과 사랑에 빠지라고 말하는 것이다.

- 영원한 것은 없다. 당신의 결정을 다시 점검해보라. 만약 어떤 사안을 두고 결정하지 못하고 있다면, 그 선택의 장점을 비교하고 있을 가능성이 있다. 올바른 결정을 내릴 가능성은 잘못된 결정을 내릴 가능성과 비슷하다. 결정하지 않는 것도 그 자체로 결정이다. 일을 진행하기 위한 유일한 방법은 선택하는 것이다. 우리가 통제할 수 없고 상상조차 못 한 요인이 선택의 결과에 큰 영향을 끼칠 수 있다. 대부분의 결정은 반복적이다. 즉, 우리는 결정을 내리고 위험을 감수한다. 선택을 내린 일이 순조롭게 진행되면 계속 가고, 그렇지 않다면 수정해야 한다.

- '어려움'은 반드시 '중요함'을 의미하지 않는다. 모두가 믿

고 따라야 할 만큼 중요한 결정은 많지 않다. 그리고 사람들이 상상하는 것만큼 그렇게 위험한 결정은 드물다. 물론, 전쟁이나 의료적 결정은 경우가 다르지만 말이다. 당시에는 엄청나게 어려워 보이는 결정도 우리 삶의 언저리만 변화시킬 것이다. 로저 로젠블라트는 《유쾌하게 나이 드는 법Rules for Aging》이라는 뛰어난 수필에서 "당신이 중요하게 생각하는 어떤 것도 중요하지 않다"라고 말했다. 이 법칙을 기억한다면 수명이 몇십 년은 늘어날 것이다. 자신이 지금 무도회장에서 다음 스텝을 밟고 있다고만 생각하라. 그러면 결정이라는 무거운 짐이 실제 한결 가벼워지면서 더 나은 결정을 내릴 수 있을 것이다.

## 발코니에서 바라보기

Q1 어떤 학교에 갈지, 집을 살지 말지, 그 일을 할지 말지 등 과거에 내린 어려웠던 결정을 떠올려보라. 왜 그 결정이 어려웠는가? 결정하기 위해 어떤 과정을 거쳤는가? 어떤 결정을 내렸든지 간에 당신이 살아남았다는 사실에 안심하라. 어려운 결정을 내린 뒤 선택을 잘못했다고 느낀 적이 있다면, 그 과정을 통해 배운 앞으로 적용할 만한 교훈은 무엇인가? 중간에 수정했더라면 더 나은 결과를 낼 수도 있었던 적이 있었는가?

## 현장에서 적용하기

Q1 현재 직면한 어려운 결정을 생각해보라. 그중에서 그다지 위험하지 않다고 느껴지는 부분을 분리해보라. 예를 들어 신규 전략을 큰 규모로 계획하기보다는 상황을 살펴보기 위해서 시범 프로젝트를 진행해 보라. 그리고 당신이 올바른 방향으로 가고 있는지, 중간 수정이 필요한지, 혹은 똑같은 방향으로 계속 나아가야 하는지 평가하라.

Q2 '직감을 이용하기' 기술을 시도해보라. 직면하고 있는 어려운 결정과 관련해 내외부적으로 모을 수 있는 모든 정보와 자료를 모아라. 그리고 그 결정은 잠시 잊고 며칠 동안은 다른 일에 자신을 몰두하라. 그 후 결정과 관련된 정보가 머리에서부터 가슴으로 스며들도록 하라. 이성적으로 정보를 수신하고 가슴으로 정보를 해석하라. 그리고 직감에 따라 움직여라.

## 자신의 실패를 허용하라

이 책을 읽는 이유 중 하나는 당신이 깊이 믿는 가치로 조직, 공동체, 혹은 가족에게 변화를 일으키고 싶기 때문일 것이다. 사람들은 성공하기를 원한다. 실패를 좋아하는 사람은 없다. 실패를 원치 않을 뿐 아니라, 자신의 실패를 용납하고 싶지 않아서 스스로 합리화할 이유를 만든다. '육아를 해야 해요' '우리 팀은 나에게 의지하고 있어요' '부모님을 실망하게 하고 싶지 않아요' 등 말이다.

사람들은 실패할 수도 있다는 것을 받아들일 수 없어서, 적응적 변화를 이끌지 않고 뒤로 물러서기도 한다. 마티는 학창 시절에 B 학점만 맞아도 충분하다고 생각했다. 마티에게 B 학점은 어렵지 않은 점수였고, 자신도 잘 아는 사실이었다. 마티는 잠재력을 다 발휘하지 않고도 쉽게 B 학점을 받을 수 있었지만, 다른 학생들에게 B 학점은 꽤 높은 점수였다. 마티는 B 학점을 유지하면서 실패를 피했다. 만약 A 학점을 받으려고 했다면 실패했을 수도 있다. 그는 기준을 낮추면서 실패의 위험을 피할 수 있었다.

하지만 기준을 낮추는 것은 적응적 변화를 이끄는 데 도움이 되지 않는다. 어댑티브 리더십은 실험적 태도를 요구하고, 위험을 수반하며, 진짜로 실패할 가능성을 동반하기 때문이다. 따라서 실패할 수 있다는 사실을 인정하고 자신에게 실패를 허용해야 한다. 이를 위한 몇 가지 방법을 소개한다.

### 자신에게 실패를 허용하는 방법

- **적응적 변화를 이끄는 실행안의 성공 범위를 넓혀라**

  당신의 계획을 평가할 때, 성공과 실패의 이분법적인 판단을 넘어서 실험적인 방식으로 평가하라. 다시 말해, 기대했던 결과는 아니지만, 시도를 통해 얻은 교훈을 생각하고 그 교훈을 다음에 어떻게 적용할지 생각해보라.

- **구성원들을 준비시켜라**

  당신의 노력이 실패할 경우를 대비해서 주변 사람들의 기대를 관리하라. 그들이 직접 시도해보도록 하고 거기서 교훈을 얻도록 하라. 이 과정을 통해 주인 의식이 공유된다면 당신을 실패의 희생양으로 삼거나 당신을 향해 부당한 판단을 할 가능성이 줄어든다. 당신이 사용하는 언어는 구성원들의 기대치를 관리하는 데 중요하다. "나를 믿어도 좋습니다"라는 말 대신에 "우리는 지금 새로운 것을 시도하고 있습니다"라고 말하라.

- **작은 실험을 시도하라**

  실패가 작으면 크고 값비싼 실패보다 감당하기 쉽다. 상대적으로 비용이 적은 실험은 당신이 아이디어를 실험하고, 비록 실패하더라도 그 과정 중에 무너지지 않도록 도와준다.

## 발코니에서 바라보기

Q 1 변화를 위해서 고려하고 있는 실행안을 생각해보라. 어떻게 자신에게 실패를 허락할 것인가? 예를 들어 진행되는 모든 과정을 발전을 위한 학습으로 여기는가? 상대적으로 작고 안전한 규모로 실행안을 실험해볼 수 있는가?

## 현장에서 적용하기

Q 1 당신이 이끄는 계획을 실행하는 데 필요한 구성원들을 파악하라. 구성원들에게 그 계획을 설명할 때 실험의 기본 작업과 실패 가능성에 대해 언급하라.

어댑티브 챌린지를 수행하다 보면 당신은 때때로 정상적인 궤도에서 이탈한 것 같은 느낌을 받을 수 있다. 또한 먼 길로 돌아가는 것 같기도 하고 하찮은 일을 하고 있다고 느낄 수도 있다. 사람들은 조직이 직면한 위기를 쉽게 잊어버리기도 하고 잠깐의 안정을 누리기 위해 꼼수를 쓰기도 하는데, 사람들의 이런 행동들은 당신을 낙담시킬 수 있다. 또한, 신체적 에너지도 고갈될 수 있다.

이 모든 과정이 과연 가치가 있는 것인지 스스로 의문이 들 수도 있고, 변화에 대한 열망이 사그라들 수도 있다. 또한 절망적인 상황에 점점 더 무감각해질 수도 있고, 모든 것을 포기해버리고 싶을 수도 있다. 절망적인 상황에서 희망도 없이 계속 전진하기란 쉽지 않다. 변화를 이끌기 위해서는 절망 속에서도 마음을 다독이며 나아갈 수 있는 능력이 필요하다. 여정을 떠날 수 있는 마음가짐 말이다.

회복 탄력성을 키우는 것은 마라톤 연습과 비슷하다. 뛸 수 있는 거리를 점차 늘리는 것이다. 예를 들어 몇 주 동안 매일 2~3km를 뛰다가 점차 거리를 늘린다. 조직 안에서 이런 훈련을 한다면, 불편한 대화를 평소보다 더 오래 하거나, 토론하기 꺼려지는 안건을 다루거나, 어려운 주제에서 벗어나려고 누군가 농담을 던져도 주제를 바꾸지 않는 행동으로 나타날 수 있다.

마라톤 선수들은 기록의 목표 지점을 정하고 훈련을 한다. 명확한 단기 목표를 정하면 훈련 기간에 자신의 발전을 확인할 수 있다. 조직 안에서도 월별 혹은 분기별 단기 목표를 현실적으로 정하면 장기적인 계획을 실행할 힘이 세진다. 반대 의견을 가진 그룹을 단 5분 만이라도 같은 회의실에 모아놓으면 다음 회의는 더 길게 할 수 있는 좋은 연습이 될 수 있다.

어댑티브 리더십의 여정을 완주하기 위해 인내심을 더 키우고 싶다면, 목적을 계속해서 기억해야 한다. 마라톤 선수들은 땅이 아니라 앞을 본다. 앞에 놓인 목표에 집중하면, 목표에 도달하기까지 거쳐야 하는 중간 단계의 일에 마음을 빼앗기거나 압도당하지 않는다.

알렉산더는 직장 생활 초반에 동료와 함께 뉴욕시 보건부에서 47개의 공공 병원과 보건소의 환자 수용 능력을 평가하는 업무를 담당했다. 알렉산더와 동료가 초반에 방문했던 몇몇 병원은 평가를 강하게 저항했다. 병원 관계자들은 병원이 좋은 평가를 받지 못할까 두려워서 비협조적으로 대응하며 필요한 자료를 제공하는 데 불응했다. 이런 방문을 반복하면서 알렉산더와 그의 동료는 지쳐갔다. 목표를 끝까지 수행하기 위해 두 사람은 방문이 끝날 때마다 회고의 시간을 가지기로 결심했다. 그 시간 동안 그들은 장기 목표를 다시 기억했다. 또한 패스트푸드가 아닌 건강에 도움이 되는 점심을 먹으면서 서로를 격려했다.

변화를 만들기 위해서는 강력한 의지도 필요하다. 자신의 실행안을 강하게 추진하다 보면 당신의 한계를 맞닥뜨릴 수도 있다. 반대파들이 당신의 한계를 눈치챈다면, 그들은 당신의 실행안을 어느 정도의 강도로 거부해야 할지 판단할 수 있다. 리더십이 탁월한 한 실무자는 난항이 예상되는 회의가 시작될 때면 다음과 같이 이야기하곤 했다. "저는 이 회의에 끝까지 남아 있을 겁니다." 회의가 얼마나 길어질지와 상관없이 회의에 남아 있겠다는 의지를 표현하면, 자신에게 중요하지 않은 안건이라고 생각되는 사람들은 회의를 방해하기보다는 차라리 잠시 침묵을 지킬 것이다. 덕분에 그는 원하는 목표를 달성하는 데 한 발짝 더 나아갈 수 있었다.

적응적 변화를 만들어낼 때 우리는 분명 자신의 인내심을 시험하게 될 것이다. 당신은 업무적으로 이미 많은 것을 성취했을 수도 있다. 예를 들어 시장점유율을 증대했거나, 더 많은 서민 주택을 건설했다든지 당신의 안건이 임원 회의에서 논의되기 시작했을지 모른다. 하지만 여전히 해결해야 할 일이 남아 있다는 것을 알기에 이런 성취에 만족하기 쉽지 않다.

조바심은 여러 면에서 해가 될 수 있다. 예를 들어 당신이 회의에서 어려운 안건을 제기할 때 즉각적인 반응을 얻지 못할 수 있다. 그럴 때마다 곧바로 문제로 파고들어 그것을 애써 해결하려 한다고 해보자. 당신의 노력은 사람들에게 그 문제에 책임을 가진 사람은 당신뿐이라는 메시지를 주게 된다. 당신이 그 문제를 다루면 다룰수록 사람들은 주인 의식을 갖고 싶지 않게 된다. 그리고 그들이 주인 의식을 전혀 느끼지 않는다면 해결책이 나와도 문제 해결에 소극적일 것이다.

문제 해결을 위한 길이 멀게 느껴질 때, 어떻게 인내심을 가질 수 있을까? 변화를 만들어가는 사람의 상황에 대한 공감이 필요하다. 다른 사람들이 처한 문제를 이해하고, 자신이 그들에게 얼마나 많은 것을 요구하고 있는지를 인식하면서 공감 능력을 기를 수 있다. 그들이 변화에 적응하면서 겪게 될 잠재적 손실을 이해하면 마음의 안정과 인내심이 생길 것이다.

## 발코니에서 바라보기

Q1 과거에 엄청난 인내심을 발휘했던 때를 떠올려보라. 어떻게 그것을 참아냈는가? 자녀가 있다면, 공 던지기, 수영, 운전, 피아노, 글 읽기를 가르칠 때를 떠올려보라. 새로운 기술을 익힐 때 쉽지 않다는 것을 알기 때문에 자녀가 서툴러도 인내할 수 있었을 것이다. 혹은 어려운 과정을 통해 새로운 기술을 익힌다고 믿는 낙관적인 태도가 인내심을 갖게 했을지도 모른다.

## 현장에서 적용하기

Q1 당신의 인내심을 시험하는 사람이나 상황이 있는가? 어쩌면 당신의 계획에 부정적인 의견을 내는 동료 때문에 화가 치밀 수도 있다. 그가 화를 돋울 때 인내심을 발휘할 방법을 생각해보라. 그 동료가 인내심을 잃게 만들 때 그 방법을 사용해보라. 예를 들어 왜 화가 났는지 생각할 수 있는 시간을 벌기 위해 질문을 하거나 창밖으로 시선을 돌리는 것도 방법이다.

5.3

## 사람들에게 영감을 불어넣어라

Inspire People

당신은 사람들에게 영감을 주는가? '영감을 주다inspire'라는 단어는 '숨을 불어넣다' '혼을 채우다'에서 유래했다. '영감inspiration'이란, 사람들의 마음에 닿아 그 마음을 채우면서 깊은 곳에서부터 그들에게 감동을 주는 역량이다.

조직의 적응적 변화를 이끌기 위해서는 바로 이 영감을 주는 능력이 필요하다. 어댑티브 챌린지는 단순한 사실이나 논리가 아닌 가치를 다루며, 그 과제에 도전하기 위해서는 사람들의 머리가 아닌 마음속에 있는 믿음과 충성심을 다루어야 하기 때문이다. 영감은 카리스마 있는 소수의 사람만이 타고난 능력이 아니다. 훈련을 통해서 누구든지 이 능력을 강화할 수 있고 리더십에 효과적으로 사용할 수 있다.

이 장에서 우리는 어떻게 자신의 목소리를 찾고 사용할 수 있는지에 관해 설명하고자 한다. 누구든지 이 기술을 사용할 수 있지만, 각 사람은 자신만의 고유한 결과를 얻을 수 있다. 영감을 주는 사람으로서 당신은, 자신을 움직이는 목적이 만들어낸 스스로의 목소리, 자신의 조직 및 세계가 직면하고 있는 특정한 도전들, 그리고 자신만의 소통 방식을 가지고 말해야 한다.

당신이 사람들과 연결되는 방식은 자신만의 목소리를 찾는데 도움이 된다. 우리는 지금 당신의 목소리가 얼마나 매끄러운가에 관해 이야기하고 있는 것이 아니다. 잭 웰치는 말을 더듬었음에도 사람들에게 영감을 주었다. 우리가 이야기하고 싶은 것은 당신이 사람들의 관점과 가치, 욕구에 얼마나 부합하게 말하고 있는가다. 자신의 목소리를 찾는다는 것은 사실과 논점을 열거하는 것 그 이상이다. 그 사실과 논점을 사람들의 마음에 더욱 잘 닿을 수 있는 언어로 바꾸어 말해야 한다.

사람들이 자신의 목적을 잊었거나 서로에 대한 인내심이 한계에 다다랐을 때, 공동체가 희망을 잃어가고 있거나 혹은 더 나은 미래를 상상할 수조차 없을 때, 우리에게는 영감이 필요하다. 이런 중요한 순간에 당신의 영감은 절망 속에서도 사람들을 지탱해주었던 감춰진 희망의 저장고를 두드린다. 과거로부터 얻은 가장 훌륭한 유산을 잃지 않으면서도 새로운 가능성을 향해 나아가도록 만드는 것이다.

사람들에게 영감을 주기 위해서는 마음으로부터 듣고 마음으로부터 말하는 두 가지 역량을 강화해야 한다. 당신이 이 두 가지 역량을 강화해야 하는 이유는 사람들의 마음과 당신의 마음에 무엇이 있는지를 알지 못한다면 그들과 깊이 연결될 수 없기 때문이다.

## 사람들과 함께하라

적응적 변화를 이끌기 위해서 사람들이 당신과 당신의 목적에 마음을 열도록 요청해야 한다. 당신 또한 그들의 목적에 마음을 열고 다가가려는 모습을 보여야 한다. 사람들이 듣기 불편해하는 메시지를 전달할 때, 그들의 시선이 흐트러지거나 반대한다고 해서 속상해하지 않길 바란다. 오히려 자신의 마음으로부터 들려오는 소리에 귀 기울이고, 자신의 감정과 사람들이 당신에게 보내는 비언어적인 신호들을 분별하여 말로 표현되는 것 그 이상의 정보를 얻어내라.

어떤 그룹과 함께 일하다 보면 특정한 감정을 강하게 느낄 때가 있을 것이다. 독특한 그 감정은 그룹 구성원들 간에 흐르고 있는 감정의 기류일 수 있다. 그 감정의 신호를 잘 파악해보라. 당신의 감정은 아마 그들의 감정과 공명하고 있을 것이다. 당신이 느끼는 불안감이나 행복감은 그룹의 감정이 전이된 것일 수도 있다.

자신의 감정에 귀 기울이는 것과 더불어 직접 언급하지 않는 다른 것이 있다는 신호에도 귀 기울이길 바란다. 그것이 무엇인지 생각해보고 잘 모르겠다면 대화 속에 감춰진 것을 찾기 위한 질문을 하라.

### 마음으로부터 듣기 – 자동차 회사 사례

우리는 어느 자동차 회사의 고위 간부 회의에 참석한 적이 있다. 당시 그 회사의 임원들은 새로운 사업 계획의 이점을 토론하고 있었다. 언뜻 보았을 때 그들의 대화는 분석적이고 사실에 기반을 둔 듯했지만, 참석자 중 일부는 부정적인 감정을 뚜렷이 드러냈으며 몇몇은 빈정대기도 했다.

이후 부회장과 대화를 나누면서, 우리는 새로운 사업 계획에 의문을 제기한 사람들은 전략적 방향에 대한 최근의 여러 이견 때문에 손해를 보고 있는 부서장들이라는 것을 알게 되었다. 새로운 사업 계획으로 인해, 이 부서의 엔지니어들은 다른 부서에 비해 직급뿐 아니라 연구 활동비까지 지원을 덜 받고 있었다. 만약, 이 계획이 승인된다면 그들 부서는 더 큰 손실을 겪고, 부서장들은 부서원들로부터 신뢰를 잃게 될 것이 뻔했다. 부서장들은 자신들의 신뢰 문제는 분명히 말할 수 없었기 때문에, 제안된 계획의 이점과 문제점에 초점을 두었지만, 확실히 불안감을 느끼고 있었다.

경영진은 그들의 불안감을 눈치채고 보이지 않는 이해관계를 찾아냄으로써 불만이 있었던 부서장들의 위험과 손실을 고려한 새로운 전략을 세울 수 있었다. 부서원들은 새로운 사업 계획을 위한 새로운 엔지니어링 역량을 개발해나갔다. 실제로 부서원들은 자기 부서를 넘어 엔지니어링 디자인팀에서 일하는 등 익숙하지 않은 새로운 방식으로 일하는 법을 배우기 시작했다. 사업을 추진하는 과정에서 경영진은 부서장들의 불안을 자극하는 것이 무엇인지 이해함으로써, 변화 과정에서 어려움을 겪는 부서에 좀 더 공감하고 그들을 더 잘 지원할 수 있게 되었다.

사람들에게 정말로 중요한 것이 무엇인지 이해하기 위해서는 그들의 말속에 감춰진 노래the song beneath the words, 즉 숨겨진 의미를 들어야 한다. 당신이 듣고 있는 고충의 원인은 무엇인가? 그 고충은 집단의 가치나 업무처리 방식에 대해 어떤 갈등과 모순을 드러내는가? 현재 갈등 중인 여러 분파에 대해 고위 간부들은 어떤 관점을 고수하고 있는가? 감지되는 감정적 상황은 더 큰 맥락에서의 문제를 어떻게 반영하고 있는가?

적응적 변화를 이끄는 것은 종종 이익과 손실을 조정하는 과정이며, 이 손실이 변화에 대한 저항을 유발한다. 손실은 새롭고 도전적인 역량을 습득하는 과정에서 발생하기도 하고, 구성원들의 실망감으로 표현되기도 하며, 누군가의 지위나 직장을 잃는 형태를 나타낼 수도 있다. 손실이 어떤 형태로 나타나는지 제대로 이해하고 인정하는 것은 적응적 변화를 효과적으로 이끄는 데 필수적이다. 이를 위해서는 마음으로부터 들어야 한다.

마음으로부터 듣는 능력을 강화하기 위한 몇 가지 지침이 여기에 있다.

### 판단이 아닌 호기심과 동정심을 가지고 들어라

사람들이 새로운 계획에 대해 왜 고민하는지를 이해하려면 판단을 넘어서 호기심과 동정심을 가지고 마음으로부터 들어야 한다. "당신의 말을 듣고 있어요"라고 말하거나 그것을 반복하는 것만으로는 충분하지 않다. 그들이 느끼는 것을 최대한 깊이 이해하기 위해 그들의 입장이 되어보라. 그러고 나서 당신이 이해한 것을 그들에게 말하라. 적어도 당신은 진정성을 가지고 "당신을 이해해요"라고 말할 수 있어야 한다.

9·11사태가 일어난 다음 날 아침, 루돌프 줄리아니 뉴욕 시장은 전날 뉴욕 시민과 미국인이 겪은 고통과 공포에 대해 진정성 있으면서도 매우 솔직한 연설로 감동을 주었다. "오늘은 뉴욕시의 역사상 가장 힘든 날입니다. 우리가 지금 겪고 있는 이 비극은 악몽입니다. 끔찍하고 사악한 테러로 인해 희생된 모든 무고한 시민들에게 간절한 애도의 마음을 전합니다. 우리는 지금 가능한 많은 생명을 구하는 일에 집중하고 있습니다." 줄리아니 시장은 생방송으로 자신의 연설을 듣고 있는 사람 중에는 폭파된 건물 안에

갇혀 있는 희생자들의 부모, 배우자, 연인, 자녀가 있다는 것을 깨달았다. "사상자 수는 우리 누구도 감당할 수 없을 만큼 많을 것입니다." 그 후 몇 주 동안 줄리아니 시장은 매일 뉴욕의 거리로 나가 그들이 느끼고 있는 것을 자신도 느끼고 있음을 알렸다. 그의 일관성 있는 행동과 공감은 충격과 고통에 빠진 사람들에게 안아주는 환경holding environment을 만들어주었다. 그는 뉴욕의 시민들을 끌어안은 것이다.

우리가 타인의 고통이나 공포를 문자 그대로 경험할 수는 없을지라도, 그들이 말하는 것을 머리뿐 아니라 가슴으로 느낄 수 있다. 또한 그들에게 무엇이 중요하고 또 무엇이 저항을 유발하는지에 대해서도 이해할 수 있다. 그렇게 함으로써 우리는 그들과 연결되고 그들을 움직일 수 있게 된다.

### 침묵을 허락하라

적응적 변화를 이끌다 물러나게 되는 대부분의 사람은 지나치게 말이 많다. 그들은 논점을 벗어나면서까지 많은 말을 하다가 결국 물러나게 된다. 반면, 다른 사람들의 말을 경청하는 데 지나치게 많은 시간을 쏟았다고 해서 쫓겨나는 경우는 드물다.

당신은 침묵을 얼마나 견딜 수 있는가? 무언가 말해야 한다는 압박감을 느끼기 전까지 침묵을 견디는 정도는 사람마다 다르다. 침묵에는 목적이 있다. 침묵은 사람들에게 당신이 말한 것을 흡수할 수 있는 시간을 준다. 새로운 사업 계획이 반대에 부딪힐 때는 그 계획이 손실을 유발할 수 있기 때문이다.

그러므로 듣는 사람의 입장이 되어 당신의 메시지를 받아들이는 것이 얼마나 어려운지 생각해보아야 한다. 5분, 5일, 5주, 몇 달 혹은 그보다 더 긴 시간을 그들에게 주어야 한다. 당신이 그들 가까이서 보고 듣는다면, 어느 정도의 시간이 필요한지 알 수 있는 언어적 혹은 비언어적 단서를 찾을 수 있을 것이다. 회의에서 어떤 이야기를 했을 때, 사람들의 즉각적인 반응만을 보고 그것이 최종 의견이라고 믿고 싶을 때가 있을 것이다. 하지만 그래서는 안 된다.

침묵은 사람들의 주의를 집중시킬 때도 유용하다. 특히 당신이 의사결정자라면 더욱더 그렇다. 우리는 워크숍이 혼란스러워질 때 참가자들의 주의를 집중시키기 위해 앞에 서서 조용히 기다리곤 한다. 사람들이 회의에 모였을 때 혹은 토론을 통제할 수 없을 때 회의 주재자는 종종 침묵으로 사람들의 주의를 끌 수 있다. 침묵은 방금 일어난 일에 대해 생각해보고 발코니에서 이해관계자들의 역학 관계를 파악할 수 있는 시간을 준다.

침묵 자체도 메시지를 담고 있다. 침묵은 긴장, 안도, 평화 혹은 호기심을 나타낼 수 있다. 다른 사람들의 몸짓과 시선, 방 안의 분위기를 통해 침묵의 내용을 이해하고, 그 정보를 종합해서 다음 행동을 조정할 수 있다.

조직이 복잡한 이해관계나 충성심을 가진 구성원들로 이루어져 있다면, 침묵은 더욱 중요할 수 있다. 침묵을 통해 문제 해결의 단서를 찾아내고 다음 단계로 나아갈 수 있기 때문이다. 문제 해결의 단서들이 복잡할수록 침묵은 길어질 수도 있다. 다른 사람들의 이야기를 듣기 위한 시간을 벌고 다음 논의를 염두에 두며 실험적 조치를 취하는 것은 리더십에 있어 매우 중요하다.

### 당신이 의사결정자일 때

당신이 의사결정자라면 마음으로부터 듣는 것은 특히 더 어렵다. 실제로 조직이나 정치 체계에서 높은 자리에 오를 때 즈음이면, 듣는 것보다 말하는 것에 더 익숙해져 있을 것이다. 회의를 시작하면서 다음과 같이 말한다고 가정해보자, "오늘의 안건은 어댑티브 챌린지adaptive challenge입니다. 한 분도 빠짐없이 고견을 말씀해주십시오." 사람들은 당신이 무언가 더 말하기를 기다릴 것이다. 침묵은 아니더라도 피상적인 의견만을 말하며 모두 당신의 의견을 기다리고 있을 것이다. 우리는 임원진과 일할 때, 종종 최고경영자가 회의 안건을 정하고 참여를 장려하는 것을 보아왔다. 사람들은 대체로 조심스럽게 생각을 내비치지만, 그들이 실제로 하려는 것은 안건에 대한 최고 경영자의 입장을 감지하는 것이다.

회의에서 아무도 말하지 않을 때, 당신이 의사결정자라면 그 공백을 메꿔야 한다는 압박을 크게 느낄 수 있다. 침묵하면서 앉아 있는 것은 어렵다. 가만히 있는 것은 사람들이 당신에게 대하는 것이 아니다. 답을 가지고 있든 그렇지 않든, 혹은 그 답변이 직면한 과제를 해결하는 데 도움이 되든 안 되든, 사람들은 당신이 분명한 방향을 제시하기를 기대한다.

## 발코니에서 바라보기

**Q1** 사람들이 당신의 말에 걱정스러운 반응을 보일 때, 어떻게 대응하는가? 어떤 느낌이 드는가? 즉각적으로 방어하거나 그들의 의견을 무시하는가? '그래, 그가 책임지지 못한다면 그 사람 없이 가는 게 더 나을 거야'라고 중얼거리면서 사람들을 판단하는가? 방어적이거나 판단적인 대응을 잠시 미루고 다른 사람들의 생각과 감정에 호기심을 갖기 위해 어떤 행동을 취할 수 있을까? 대화나 회의 도중 침묵이 생기면 당신은 어떻게 하는가? 회의를 이끌 때와 단순히 회의에 참석할 때 침묵에 대한 당신의 반응은 어떻게 다른가? 당신이 전형적으로 하는 행동의 결과는 무엇인가?

## 현장에서 적용하기

Q1 어떤 사람과 무릎이 거의 맞닿을 정도로 마주 앉아라. 5분 동안 아무 말도 하지 않고 서로의 눈만 바라보라. 그 순간이 영원하게 느껴질 수도 있지만, 침묵에 대한 인내심을 배우는 데 도움이 될 것이다. 5분 동안 당신의 내면에 어떤 일이 일어나고 있는지 관심을 기울이라. 당신은 무엇에 주목하는가? 어떤 느낌인가? 무엇을 생각하고 있는가? 5분이 지난 뒤 상대방에게 당신이 관찰한 것에 관해 설명해보자.

## 마음으로부터 말하라

고대 그리스 철학자 아리스토텔레스는 신을 '부동의 동자unmoved mover'라고 표현했다. 아리스토텔레스는 신은 세상을 움직이지만, 인간의 고통 때문에 움직이지는 않는다고 보았다. 반면 현대 철학자이자 유대교 랍비인 아브라함 조슈아 헤셜은 신을 '가장 많이 움직이는 동자the most moved mover'라고 표현했다. 이 경우, 신은 세상을 움직이면서 우리와 함께 고통을 나눈다고 보았다. 당신은 둘 중 어떤 신의 이미지에 더 공감되는가?

마음으로부터 듣는 것(타인이 느끼는 것을 이해하는 일)과 더불어, 사람들에게 영감을 주기 위해서는 마음으로부터 말하는 것(자신이 느끼는 것을 표현하는 일)이 필요하다. 사람들이 직면한 도전에 대해 진심으로 관심이 있다면, 그들에게 어떻게 말해야 할지 생각해보아야 한다. 사람들에게 감동을 주기 위해 노력하는 동시에 자신도 영감을 받아야 한다.

우리는 왜 마음으로부터 말해야 하는가? 마음으로부터 말하는 것은 무엇이 가장 중요한 가치인지 드러내며, 고통을 감내하면서도 그 가치를 버리지 않는 이유를 설명해주기 때문이다. 또한, 어려운 과제를 해결할 때 종종 겪는 희망과 절망의 오르내림을 견디게 해준다. 마음으로부터 말하는 능력은 언어적 표현뿐 아니라 몸짓과 표정, 목소리라는 '음악'에도 그대로 나타난다. 회의 주재자가 침착한 태도와 강하지만 차분한 목소리로 사람들이 와해되지 않도록 이끄는 회의에 참석해본 적이 있는가?

마음으로부터 말하기 위해서는 자신의 가치와 신념, 감정과 자주 소통해야 한다. 그런데 직장 생활에서 이것은 이성적이어야만 한다는, 즉 '머릿속에서만 이루어져야 한다'는 압력과 갈등을 일으킬 수 있다. 하지만 사람들을 적응적 변화로 이끌 때 장애물은 그들의 이성적 사고가 아니라 마음이다. 만약 당신이 그들을 마음으로 받아들이지 않으면 그들 역시 당신을 마음으로 받아들이지 않을 것이다.

따라서 적응적 변화를 이끌 때 우리는 업무 환경에서 일반적으로 보여주는 것보다 더 많이 자신을 표현할 필요가 있다. 당신은 어떤 방식으로 자신을 표현하는가? 회의에서 어려운 변화 계획을 제안하면 저항에 부딪힐 것을 알고 있다고 가정해보자. 무엇을 말할지 연습하고, 지금 왜 이 일을 하고 있는지 스스로 상기시키며, 신체적으로 정신적으로 준비하라. 그리고 머릿속을 비우기 위해 몇 분 동안 침묵의 시간을 가져라. 몸의 중심을 잡고 안정된 자세를 유지하라. 일단 회의가 시작되면 당신의 목적과 헌신을 평소보다 더 많은 감정을 들여 표현해보자. 안전지대의 경계선에 있다고 여겨 통제력을 잃지는 않을까 걱정할 수도 있다. 하지만 그렇게 함으로써 당신은 사람들의 마음을 사로잡고 영감을 줄 수 있다. 여기 도움이 되는 몇 가지 방법을 제안한다.

### 사람들과 감정을 교류하며 서로 연결되라

마음으로부터 말하는 것은 다른 사람들을 감동시키면서 자신도 감동될 수 있다는 것을 의미한다. 이를 위해서는 당신과 사람들이 감정을 통해 서로 연결되어 있어야 한다. 이것이 무슨 뜻인지 다음 사례를 통해 살펴보자. 당신은 딸의 결혼식에서 잔을 들어 건배를 제의하고 있다. 눈물이 차오르고 목소리는 떨린다. 이 순간이 단순한 감정표출이 아닌 영감이 되기 위해서는 건배 제의와 동시에 당신 자신도 감동을 해야 한다.

많은 사람이 발표하는 도중 갑자기 감정에 사로잡힐 때, 그 감정을 억누르거나 제어함으로써 그 순간을 망쳐버리곤 한다. 어떤 사람들은 서둘러 발표를 마치고 단상에서 내려가거나 회의실을 나가기도 한다. 당신이 해야 할 일은 발표를 잘 마무리하면서 동시에 필요한 감정을 표현하는 것이다. 그렇게 함으로써 당신은 사람들에게 그 상황을 제어할 수 있고, 감정을 계속 유지할 수 있으며, 그들도 그렇게 할 수 있다는 것을 알릴 수 있다. 비록 순간적으로 감정에 사로잡힌 것처럼 보일지라도, 자신의 감정을 느끼면서도 침착한 모습을 보여줌으로써 사람들을 감동시킬 수 있다. 앞서 말했듯이 줄리아니 뉴욕 시장은 9·11사태의 참극을 진정성 있게 말함으로써 이런 능력을 보여주었다. 뉴욕 시민들에게 익숙한 평소 그의 강한 모습과는 다르게, 줄리아니 시장의 목소리는 때때로 감정에 벅차 흔들렸지만 그런 감정에도 불구하고 연설을 계속 이어갔다. 그렇게 함으로써 그는 수백만 명의 경험을 대변했으며, 그것은 사람들에게 절망 속에서도 의미를 찾고 희망을 유지해야 한다는 영감을 불러일으켰다.

### 음악적으로 말하라

아기일 때 우리는 부모나 형제의 말을 그들의 어조, 소리, 침묵의 교차를 통해 해석한다. 사람들에게 영감을 불러일으키는 한 가지 방법은 음악적으로 말하기, 즉 리듬, 높낮이, 크기, 어조와 같은 목소리의 여러 가지 양상에 주목하는 것이다.

리듬을 살펴보자. 사람들이 듣기에 어려운 무언가를 말해야 한다면, 잠깐 이야기를 멈춤으로써 그들에게 당신의 말을 이해하는 시간을 줄 수 있다. 잠깐의 침묵으로 사람들은 메시지를 충분히 이해하고, 그것의 중요성에 대해 생각해볼 기회를 얻는다. 이를 통해 사람들은 당신이 지지하는 변화를 희생할 만한 가치가 있는 목적들과 새롭게 연결해볼 수 있다.

음악적으로 말하기 위해서는 목소리의 높낮이, 크기, 어조를 사용하라. 오케스트라 지휘자는 청중과 소통하기 위해 뚜렷한 소리의 트럼펫부터 달콤한 소리의 바이올린까지 모든 악기를 동원한다. 마찬가지로 당신의 목소리에 대해 생각해보라. 변화에 수반되는 노력에 관해 설명할 때 침체된 사람들에게 의욕을 불어넣거나 당면한 가치의 중요성을 전하기 위해서는, 트럼펫처럼 뚜렷한 목소리로 방 안의 온도를 높일 필요가 있다. 긴장이 비생산적인 수준까지 올라갈 경우에는 바이올린처럼 우아한 목소리로 사람들을 진정시킬 수 있다.

당신이 상사라면 부하직원이나 동료였을 때와는 다른 목소리를 사용할 것이다. 이러한 경향은 우리가 사는 문화에 영향을 받는다. 문화마다 다르기는 하지만 대체로 상사들은 조금 더 침착하고, 감정에 흔들리지 않고, 자신감 있게 말하는 경향이 있다. 그리고 질문보다는 발언을 주로 한다. 조직 구성원들 또한 상사가 어려운 시기를 헤쳐나가며 문제를 해결하고 해결책을 찾아주기를 기대한다. 실제로 이렇게 하는 것이 많은 상황에서 매우 적절하지만 문제와 해결책이 사람들의 마음속에 있고, 사람들의 행동이 조직이나 공동체의 경계를 넘나드는 적응적 상황에서 상사는 무엇을 해야 할까?

반대로, 당신이 권한이 없다면, 아무도 자신의 말을 듣지 않는다고 걱정할 수 있다. 그런 경우 당신은 무의식적으로 목소리를 높이고 더 긴박하고 단호하게 말할 수도 있다. 어떤 상황에서든 권한의 정도에 상관없이 상황에 맞게 목소리를 사용하고, 특히 사람들의 요구와 그들의 당면한 어려움을 이해하고, 그 순간의 요구를 충족시키는 것을 목표로 삼아야 한다.

당신이 변화를 이끄는 상황에 직면한 의사결정자라면 기본적으로 선택할 수 있는 네 가지가 있다. 가장 흔히 선택하는 방식은 어조와 메시지 모두를 강하게 하는 것이다. 드물게는 어조와 메시지 모두를 불확실하게 할 수도 있고, 메시지의 어조만 혹은 메시지의 내용만 불확실하게 할 수도 있다. 우리는 이 중 마지막, 메시지만 불확실하게 전달하기를 제안한다. 당신의 계획이 실행 가능하다는 확신을 주기 위해서 당신은 사람들이 원하는 권위 있는 모습으로 말해야 한다. 하지만 불안정한 상태를 줄이고 확실한 대답을 해야 한다는 압력 때문에 권위적으로 발언하거나 주장하지는 않길 바란다. 대신, 도전에 대해 분명하게 말하고, 새로운 해결책을 발견하고 실행하는 적응 과정에서 본질적으로 생기는 불확실성을 인정하면서 침착하고 자신 있게 답하고 질문을 하라.

권한이 없는 상태에서 변화를 이끄는 경우에도 해야 할 일은 동일하다. 풀어야 할 해결 과제는 다를지라도 말이다. 권한이 없다고 해서 사람들이 당신의 말을 듣지 않을 거라고 생각하지 말라. 지나치게 단정적으로 말하거나 혹은 지나치게 소극적으로 말하지 않길 바란다. 오히려 사람들이 당신의 말을 듣고 주의를 기울일 것이라고 상상하며 말하라. 발표자가 지나치게 조급하거나 조바심 나는 어조로 말하면 사람들은 귀를 기울이지 않는다. 사람들이 당신의 말을 듣고 있다고 확신한다면 당신의 말도 자연히 자신감 있게 들릴 것이다. 사람들은 자신감 있는 사람의 말을 듣는다.

### 한 마디 한 마디를 중요하게 하라

마음으로부터 말할 때는 당신이 중요하게 생각하는 가장 우선적인 요점을 분명하게 말하고, 이를 뒷받침하는 주장을 한 번에 하나씩 말함으로써 모든 한 마디 한 마디를 중요하게 만들어야 한다. 한 번에 여러 이야기를 하면 인상적이고 믿을 만하게 들릴지는 몰라도 속사포처럼 쏟아지는 이야기를 이해하기는 어렵다.

한 마디 한 마디를 중요하게 한다는 것은, 특정 단어가 가지고 있는 다양한 의미들을 제대로 이해하고 지혜롭게 사용한다는 것을 의미한다. 조직이 직면한 어댑티브 챌린지를 해결하기 위해,

가치나 역사적 의미가 담긴 단어들을 사용하여 민감한 사안을 언급할 수도 있다. 하지만 민감한 부분들을 잘못 건드리면 예상과 다른 결과가 나올 수도 있다. 미국의 부시 대통령은 9·11사태 직후 테러리즘과 싸워야 한다는 의견을 주장하기 위해 '십자가 원정 crusade'이라는 단어를 사용했다. 결과적으로, 그 단어를 사용함으로써 미해결된 역사를 끄집어냈고 오히려 테러리스트들의 전략에 말려들었음을 깨달은 이후, 부시 대통령은 그 단어를 더 이상 사용하지 않았다.

자신의 의도에 맞는 단어를 선택했는지 아는 것은 일종의 시행착오가 필요하다. 사람들은 자신의 이해에 따라 직관적으로 어떤 단어를 선택하는 경향이 있다. 하지만 특정 단어는 듣는 사람에 따라 다른 뜻을 가질 수 있다. 특정 단어가 어떤 반응을 일으키는지 알기 위해서는 그 단어를 말하고 난 후 사람들의 반응을 살펴보라. 만약 특정 단어에 매우 강한 부정적 반응이 있다면 '그들이 내 말을 잘못 이해했어' 혹은 '그건 내가 의도했던 바가 아니야' 라고 말하기 쉽다. 사실 당신은 못 느꼈더라도 사람들은 당신의 말에서 공명하는 무엇인가를 들었을 것이다. 따라서 당신이 미해결된 문제를 무의식중에 건드렸다는 것을 그들의 반응을 통해 알 수 있을 것이다.

### 킹 목사의 마음

1955년, 스물여섯이 된 마틴 루터 킹 주니어는 박사 학위를 마치고 미국 앨라배마주 몽고메리시에 있는 작은 교회의 목사가 되었다. 그는 이미 자리를 잡은 다른 교회들과 존경받는 장로들이 있는 흑인 사회, 그리고 흑인 교역자들 사이에서 새로운 얼굴이었다. 그해 12월, 몽고메리시에서 로사 파크스가 버스에서 백인에게 자리 양보하기를 거절한 일로 시위가 벌어졌을 때, 흑인 공동체의 많은 장로는 그녀의 행동이 너무 위험했다고 생각했다. 그들은 파크스의 저항으로 어떤 이득도 얻을 수 없다고 생각했지만, 결국 그녀를 지지하기로 했다. 그들은 새내기인 킹 목사에게 파크스 사건에 분개한 사람들이 모인 대규모 집회의 첫 기조연설을 맡겼다. 장로들은 옆줄에 앉아 있었다. 그들은 집회가 집단행동을 끌어내지 못한다면 그것은 킹 목사의 잘못이지 그들 자신과는 관련이 없다고 생각했다.

그러나 킹 목사는 수년 동안 연설에 관해 공부해왔다. 그는 다양한 유형의 설교를 들었고 사람들의 감정을 효과적으로 끌어낼 수 있는 여러 방법을 알고 있었다. 그는 실제로 그 방법들을 사용했다. 왜 어떤 설교는 흡인력이 있지만 어떤 설교는 그렇지 않은지 이해하기 위해 그는 매주 일요일마다 설교자들을 찾아다녔었다. 하지만 이런 연구와 실천에도 불구하고 그가 처음 몽고메리시에 왔을 때 킹 목사의 연설은, 학문적으로는 뛰어났을지 몰라도 청중을 감동시키지 못했다. 12월의 어느 밤, 버스 보이콧을 강권하는 연설을 할 때도 청중들은 자리를 떠나고 있었다. 그러나 그가 "사람들이 쇠로 된 압제자의 발굽에 짓밟히는 것에 지칠 때가 옵니다"라는 대목을 말하자 상황이 바뀌었다.

그가 그 대목을 말하자 청중들 사이에서 즉각적이고 반사적인 반응이 나왔다. 킹 목사는 에너지를 느꼈고 자신이 그들의 심금을 건드렸다는 사실을 알았다. 그는 곧장 준비해온 원고를 접고 '사람들은 지쳐간다'는 문구를 계속해서 반복했다. 그리고 '지친'이라는 단어에 대한 여러 변형을 즉흥적으로 만들었다. 연설이 끝날 즈음 그는 몽고메리시의 흑인들과 강력한 감정적 유대를 만들었다. 그리고 그 유대는 이후 미국 시민권 운동의 중추적인 역할을 하게 되는 길고도 고된 행동의 출발점이 되었다.

## 발코니에서 바라보기

Q1 자신이 연설하거나 회의를 주도하는 모습을 동영상으로 촬영해보라. 그리고 그 동영상을 혼자 혹은 다른 사람들과 함께 보면서 당신의 어조, 목소리 크기, 감정, 에너지를 살펴보라. 당신이 가장 몰입했던 순간, 청중이 가장 몰입한 듯한 순간을 살펴보라. 당신과 청중 모두 몰입하지 않았던 순간도 확인하라. 마음으로부터 말하는 능력을 향상할 방법을 브레인스토밍해보라.

## 현장에서 적용하기

Q1 연기 수업 혹은 즉흥 연기 워크숍을 수강해보라. 특정 감정을 경험하고 표현하는 연습을 통해, 청중의 반응을 살피고 이에 반응하는 연습을 해볼 수 있다. 청중의 마음을 움직이면서 자신의 마음 또한 움직여보라.

# 5.4

# 실험하라

## Run Experiments

리더십은 즉흥 예술이다. 어떤 책은 해야 할 것과 해서는 안 될 것 다섯 가지, 열 가지, 혹은 스무 가지 목록을 제시하기도 하지만 리더십에는 정해진 방법이 없다. 우리가 사는 복잡하고 급변하는 세상에서 '해결책'이란 그저 당신이 무도회장으로 돌아가기 전에 잠시 멈춰 숨을 돌릴 수 있는 공원 벤치나 휴식 공간 같은 것뿐이다.

어댑티브 리더십을 위해 우리가 하는 모든 것은 실험이다. 하지만 많은 사람은 그렇게 생각하지 않는다. 그들은 자신의 행동으로부터 어떤 결과를 내기 위해 엄청난 압력을 느끼고 이에 굴복하고 만다. 모든 것을 실험이라는 관점으로 보는 것은 새로운 전략을 시도하고, 질문하고, 어떤 것이 꼭 필요하고 어떤 것이 소모적인지, 그리고 어떤 혁신 방법이 효과적인지를 발견하는 데 폭넓은 여지를 제공한다. 게다가 실험이라는 관점은 실패에 대한 일종의 허가와 보호막을 제공한다.

리더십을 실험으로 볼 때 변화를 위한 계획들은 시도하되 그것이 유리한 해결책은 아닐 수 있다. 실행안을 실행한다는 것은 목적에 대한 헌신을 나타내지만, 그것이 목적달성을 위한 유일한 해결책은 아닐 수 있다. 실험적 사고방식은 어떤 방법이 제일 효과적인지 알기 위해 동시에 여러 가지를 시도해 가능성을 열어준다. 실험은 가설들을 시험하고, 반대되는 자료를 찾아보며, 새로운 지식이 나타나면 수정하는 과정을 포함한다. 실제로 이것은 프랭클린 루스벨트 대통령의 첫 임기에 나타났던 위기 전략의 핵심이었다. 즉, 공황 상태를 감소시키고 경제적 안정을 확보하기 위해 일련의 프로그램들을 시험하면서 여러 개의 중첩된 실험을 했다. 그중 일부가 효과가 있었다. 여기서 얻은 교훈은 다음 단계로 나아가는 데 기초가 되었을 뿐 아니라 그로부터 70년 이상이 지난 뒤 오바마 정권의 경제 정책 실험을 위한 자료로 사용되었다.

회의할 때 실험적인 사고방식을 가지도록 연습하라. 회의에서 쏟아낸 모든 아이디어와 제안된 계획을 다 이루려고 하지 마라. 자신을 변호하거나 설명하기에 급급하지 마라. 아이디어를 제시하고 뒤로 물러나 사람들이 그것을 어떻게 다루는지 관찰하라. 사람들이 당신의 뜻을 잘못 이해했거나 당신의 아이디어를 무시해도, 논점을 되풀이하지 마라. 아이디어가 왜 쓸모없게 여겨지는지 이해하라. 의사소통 방식 때문인가? 조직 내 당신의 역할 때문인가? 같은 말을 계속 반복했기 때문인가? 긍정적 반응을 얻거나 그렇지 못한 것은 자신이 아니라 실험을 위해 내놓은 아이디어임을 명심하라.

실험적 사고방식을 가질 수 있는 또 다른 방법은 뚜렷한 목표, 구체적 일정, 실행 척도, 체계적인 자료수집, 구조화된 중간 평가를 갖춘 장기적 실험을 구상하는 것이다.

실험적 사고방식을 가지라고 조언하지만 실험 중이라는 것을 모두에게 항상 말할 필요는 없다. 특별히 당신이 의사결정자라면 사람들은 당신에게서 답변이나 명확함을 요구할 것이다. 당신의 계획이 특별히 그들에게 많은 희생을 요구하고, 성공 여부가 확실하지 않을 때 그들은 매우 불편해할 수 있다. 따라서 실험적 사고방식에 대해 어느 정도로 공유해야 할지 정해야 할 수도 있다. 불확실성에 대한 부담을 공유하는 속도를 조절해야 할지도 모른다. 2008년 가을, 미국 재무부 장관 헨리 폴슨은 재정 분야를 되살리고 깊은 불황을 막기 위해 긴급 구제 계획을 실험하고 계획이 제대로 효과를 내는지 정보들을 수집하면서 이에 따라 계획을 수정해가고 있었다. 그는 이것이 모두 실험이라고 당당히 말하기가 어렵다는 것을 알았다. 워싱턴의 전문가들뿐 아니라 전국 곳곳에서 수시로 변하는 계획들에 대해서 그것이 맞는 조치인지를 설명하라는 엄청난 압력을 받고 있었기 때문이다.

사람들이 당신의 계획을 실험이라고 생각한다면 실험이라고 불러라. 사람들의 지지를 얻는 유일한 방법이 당신의 계획이 성공할 것이라고 믿게 하는 것이라면, 그 계획을 해결책이라고 부르고 확신을 표현하면서 동시에 이를 설명할 수도 있어야 한다. 그들이 기대하는 확신이 틀릴 수도 있다는 점을 이해할 수 있는 수준으로 설명하면서, 상황에 대한 기대치를 관리해야 한다. 아래의 '지뢰밭 통과하기' 사례는 해결책에 대한 확신의 표현이 결과적으로 옳다는 것을 보여준다.

**지뢰밭 통과하기 사례**

한국 전쟁 당시 한 영국군 대대가 북쪽에서 내려오는 중공군 및 북한군에 밀려 남쪽의 지뢰밭 사이에 갇히고 말았다. 그들 사령관은 이미 전사했다. 소대원 중 하나가 여기서 어떻게 빠져나가야 하는지 안다고 공언하며 지뢰밭 사이로 걸어가기 시작했다. 그리고 그들 모두는 살아남았다. 나중에 사람들이 그에게 어떻게 길을 찾을 수 있었냐고 묻자 사실은 아무것도 몰랐다고 고백했다. 그는 우리가 매우 운이 좋았던 것도 사실이지만, 만약 자신이 길을 아는 것처럼 행동하지 않았다면 아무도 자신을 따르지 않았을 것이라고 말했다.

여기에 당신의 실행안을 실험과 해결책 중 어떤 틀로 결정할지에 대한 두 가지 지침이 있다.

- 조직 혹은 공동체가 위급한 상황에 있고 스트레스가 압도적인 수준까지 이르렀다면, 실험보다는 해결책으로 설정

하라. 하지만 이때 비현실적 기대치를 빠르게 조정해야 한다. 또한 극심한 스트레스가 어느 정도 누그러지면 바로 중간 수정이 필요하다는 것을 분명하게 알려라. 위급 상황이 지난 후 그 상황은 어댑티브 챌린지의 한 양상에 불과했음을 알게 하라. 수면 아래에 있는 진짜 문제가 올라올 때 추가적인 변화—아마 훨씬 더 어려운—를 만들어야 한다는 것을 설명하라.

- 조직 혹은 공동체가 위급 상황이나 극심한 불안정 상태는 아니라면, 처음부터 이런 노력을 시범 프로젝트와 같은 실험으로 설정하라. 스트레스가 높지 않을 때, 사람들은 새롭고 시도되지 않은 기회들을 더 찾아보려 할 것이다.

## 더 많은 위험을 감수하라

실험적 사고방식은 이전보다 더 많은 위험을 감수한다는 것을 뜻한다. 이전에는 중요한 목적을 위해 50대 50의 비율로 위험을 감수했다고 해보자. 다시 말해, 성공과 실패 확률은 같은 수준이다. 만약 그 비율을 45대 55로 높여본다면 어떨까? 실패 가능성이 조금 더 높아진 상태 말이다. 이 정도의 위험을 감수한 적이 없었다면, 이 상태에서 리더십을 발휘해 보라. 진정으로 소중하게 생각하는 문제들을 위해 더 용감하게 위험을 감수하라. 자신을 붙잡고 있는 두려움에 맞서고 최악의 상황에 대한 인내심과 걱정의 한계를 시험해보라. 현재의 위험 회피 수준에서 시작해보자. 50대 50에서 10대 90의 비율로 가라는 것이 아니다. 편안하게 느꼈던 수준에서 조금 더 높은 위험을 감수할 수 있도록 내성을 키우자는 것이다.

## 발코니에서 바라보기

Q1 리더십을 발휘할 수 있었지만 그렇지 못했던 기회들을 열거해보라. 그때 행동을 취하지 않기 위해 자신에게 했던 이야기를 적어보라. 가능하다면 당신을 주저하게 했던 불안도 적어보자. 어떤 종류의 두려움이 당신을 붙잡았는가? 그중 한 가지 상황을 골라보라. 다시 기회가 되어 리더십을 발휘하게 된다면, 좋든 나쁘든 일어날 수 있는 모든 상황을 고려해보라.

## 현장에서 적용하기

Q1 당신이 운영하거나 참여했던 기존 회의 방식에서 벗어나 보라. 예를 들어 회의를 시작하면 핵심적인 사실과 질문을 제시한 뒤 침묵해보라. 한두 명의 동료에게 당신이 지금 새로운 것을 시도하고 있다고 알리고 그들에게 어떤 일이 일어나는지 관찰하도록 부탁하라. 그들과 함께 관찰한 것을 나눠라.

Q2 평소와 다르게 하루를 시작해보라. 예를 들어 피트니스 클럽에 가거나, 영감을 주는 무언가를 읽거나, 메모해본다거나, 주말에만 하던 팬케이크를 만들어본다든지 말이다. 정해진 일상에서 이렇게 작은 위험들을 시도해보면서 어떤 일들이 일어나는지 보라.

Q3 주말 동안 당신에게 익숙하지 않은, 불편한 환경에서 지내보라. 예를 들어 외부 활동을 통해 신체적 한계에 도전해보거나, 침묵 수행 워크숍에서 자신의 인내심에 도전해보거나, 연기 수업을 통해 감정을 잘 드러내지 않는 자신의 성향에 도전해 볼 수 있다. 이전에 한 번도 타본 적이 없다면 롤러코스터를 타보는 것도 좋다. 할 수 없다고 확신했던 것을 할 때마다 기존의 근거 없는 믿음을 버리게 된다. 그리고 지레 겁먹으면서 사실이라고 여겼던 것들을 실험 가능한 가설들로 바꾸어보라.

Q4 어댑티브 리더십 4부 〈표4-1〉에 작성한 연습 문제를 다시 열어보라. 이 연습 문제는 더 많은 위험을 감수하면서 당신이 실험할 수 있는 것들이 무엇인지 알려준다. 만약 〈질문3〉에 있는 행동을 하지 않을 때, 발생할 것이라고

상상했던 일들이 실제로 일어나는지 실험해보라. 마티가 이 연습을 처음으로 했을 때, 〈질문3〉에서 해야 할 행동들에 '초청받은 모든 강연에 가야 한다'는 것이 포함되어 있었다. 하지만 이 행동은 가능한 출장을 줄이고 가족들과 더 많은 시간을 보내고 고객과의 관계를 강화하려는 그의 바람과는 반대였다. 〈질문5〉에 적힌 그의 두려움은 강연을 거절할 경우, 사람들이 더 이상 자신을 찾지 않으리라는 것이었다. 그렇게 되면 컨설팅 실적은 줄고 생활비를 충분히 벌지 못할 것이라 생각했다. 그래서 그와 아내는 실험했다. 1년 동안 그들은 매달 꽤 많은 금액을 저축했다. 생활비를 줄이면 일상에 어떤 영향이 있는지 알고 싶었다. 놀랍게도 그들은 따로 저축해 놓은 돈의 필요를 못 느낄 정도로 1년 동안 생활에 큰 지장이 없었다. 이 실험을 통해 마티는 업무를 더 선택적으로 취할 수 있게 되었고 일과 가정에서 더 행복감을 느꼈다.

## 자신의 권한을 넘어서라

자신의 권한을 넘어 행동해보라. 신중한 태도를 유지하면서 말이다. 변화 리더십은 권한의 범위를 유연하게 넘나들어야 하기 때문에 어떤 면에서는 위험하다. 당신의 권한은 상사, 동료, 부하직원 또는 조직 외부의 사람들과 연관되어 있기에 더욱 그렇다(다음 장의 〈그림 5-1〉을 보라). 우리에게는 주어진 권한의 범위를 넘어서 행동해야 하거나, 아무도 토론하고 싶지 않은 문제를 제기하거나 말과 실제 행동 사이의 차이를 지적해야 할 때가 있다.

공식적 및 비공식적으로 자신에게 부여된 권한의 범위를 넘어서야 한다는 점에서 어댑티브 리더십은 '좋은 경영good management'과 구분된다. 하지만 그것은 간단한 일이 아니다. 권한의 범위를 넘어서려고 할 때 권한 위임자들은 우리가 질서를 무너뜨리려 한다고 생각할 수 있다.

만약 권한의 경계선에서 목적 없이 부주의하게 춤을 춘다면, 조직 혹은 공동체가 적응적 변화를 뚫고 앞으로 나아갈 수 없을 것이다. 권한 위임자들이 자신들이 원하는 범위 안에 당신을 가둬놓을수록 실제적이고 깊은 변화는 절대 일어나지 않을 것이다. 그들은 현재 상태를 만든 사람들로 자신에게 최소한의 비용이 드는 해결책을 원한다. 자신의 권한을 넘어서는 것은 또 다른 측면에서 어렵다. 경계가 어디인지 결코 확신할 수 없기 때문이다. 채용 또는 승진 시 권한의 정도는 대개 분명하게 명시되지 않는다. 권한이라고 생각한 것을 하려고 할 때 '이 일을 하라고 당신을 채용한 것이 아닙니다'라는 말을 들으면 권한의 경계에 부딪혔다는 느낌을 받을 것이다.

현재 상태가 만들어지는 데 기여를 많이 한 사람들은 당신이 권한의 범위에 있을 때조차도 "너무 일을 무리하게 추진하는 거 아닙니까?"라고 말할 것이다(〈그림5-1〉의 A지점). 당신이 실패하길 기대하고 자기 일을 떠넘기려는 사람들은 당신이 권한의 범위를 벗어나 자칫 퇴출당할 위기에 있더라도 계속 그렇게 일하기를 권할 것이다(〈그림5-1〉의 B지점). B지점까지 가는 모험을 하지는 마라. 쉽게 고립되거나 무력화될 수 있기 때문이다.

하지만 조직의 변화를 가로막는 규범에 도전하고 경계선을 조금씩 밀면서 나아갈 필요가 있다. 예를 들어 회의 시간에 까다로운 문제를 제기한다거나 다른 사람들의 프로젝트에 의문을 제기하는 등 말이다. 행동에 대한 허가보다 행동을 먼저 취한 후 이해를 구해야 할 수도 있다.

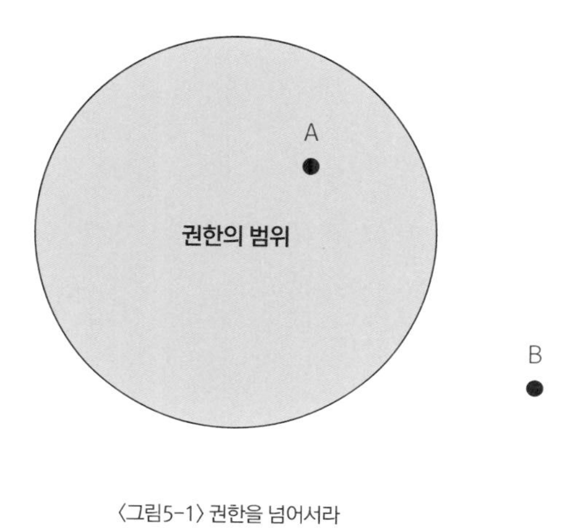


〈그림5-1〉 권한을 넘어서라

당신에게 어느 정도가 허용되는 선인지 그 경계가 분명한 것은 아니다. 그렇기 때문에 적절한 선을 판단하기가 쉽지 않다. 자신이 경계선에 있는지 알 수 있는 유일한 방법은, 어떤 행동을 할 때 부딪히는 저항의 정도다. 아무런 저항이 없다는 것은 현상이 유지되고 있다는 것으로 당신이 어댑티브 리더십을 발휘하고 있지 않다는 것을 의미한다. 당신의 제안이나 행동이 권한의 경계선에 있다면 약간의 저항이 있을 것이고, 경계선을 훨씬 넘는다면 격렬한 저항에 부딪힐 것이다.

## 발코니에서 바라보기

**Q1** 사람들이 당신의 공식적 역할에서 무엇을 기대하는가? 어떤 비공식적 권한이 있는가? 즉, 조직원들은 당신이 공식적 권한을 넘어서 어떤 것을 하기를 기대하는가?

**Q2** 어떤 아이디어나 계획을 추진하면서 조직에서 반발을 샀던 적이 있는가? 그 아이디어나 계획은 어떤 방식으로 권한의 범위를 넘어섰는가?

## 현장에서 적용하기

**Q1** 조직에서 아이디어에 대한 저항의 신호(어떤 형태든, 누구를 향하든)가 있는지 찾아보라. 사람들의 반발이 나올 때까지 새로운 아이디어나 행동 방침을 추진해보라.

저항은 종종 감춰져서 식별하기 힘든 양상(예- 농담, 화제 전환, 강한 감정적 반응)으로 포장되기도 한다. 무엇이 진짜로 사람들을 성가시게 하는지 알기 위해서 이런 양상들을 잘 들여다보아라. 그런 저항이 어떤 가치나 이해관계를 지키기 위한 것인지 스스로 물어보라.

## 온도를 높여라

대부분의 사람들은 문제를 일으키는 사람이 되고 싶어 하지 않는다. 하지만 어댑티브 리더십을 발휘하다 보면 당신은 더 많은 문제를 일으키는 것처럼 보이게 될 것이다. 사람들이 회피하고 있는 문제에 대해 주의를 집중시키면서 조직 내 온도를 올릴 때에는 특히 그렇다.

**진짜 최고 경영자는 무엇을 했는가?**

글로벌 서비스 회사의 최고 경영자인 프랭크는 변화하는 비즈니스 환경에 적응하기 위해서 회사 운영 방식의 일부를 바꾸어야 한다고 믿었다. 한동안 회사의 조직 문화는 높은 수준의 자율성, 기업가 정신, 일대일 의사결정이었다. 프랭크가 염두에 둔 회사 운영 방식은 각 부서가 협업하여 제안서를 만드는 등 조금 더 협동적으로 일하는 것이었다. '더욱 협력하자'는 외침이 아무런 결과를 내지 못하자 그는 직접 행동에 나섰다.

예를 들어 그는 경영팀 회의에서 논의되는 문제들과 이해관계가 없는 사람들에게도 의견을 물었다. 이는 각 부서 리더들이 타부서의 안건에도 관심을 가지고, 통합된 의견을 모으는데 기여하기를 원했기 때문이다.

프랭크가 이런 새로운 행동을 보여줄 때마다 방 안의 온도는 점점 올라갔고, 처음에 그는 자신의 행동과 역할에 불편함을 느꼈다. 그는 항상 자신이 조직의 온도를 낮게 유지하는 데 유능하다고 생각해 왔기 때문이다. 하지만 지금은 조직의 온도를 높이는 실험을 하고 있고, 고위 관리자뿐 아니라 부서 간에도 행동의 변화가 일어나는 것에 만족스러웠다.

문제를 일으키는 사람으로 인식된다 하더라도 온도를 높이는 것은 적응적 변화를 이끄는 데 있어 꼭 필요하다. 조직 내 온도를 조절하고, 발전을 위해 필수적이라고 믿는 변화를 자극하기 위해 사람들을 얼마나 움직일 수 있을지 시험해보라.

## 발코니에서 바라보기

Q1 조직의 어떤 변화가 어댑티브 챌린지를 해결하는 데 도움이 되리라고 생각하는가? 필요한 변화에 집중할 수 있을 정도로 온도를 적정하게 올릴 수 있는 어떤 새로운 행동으로, 변화를 위한 실험을 할 수 있을까?

## 현장에서 적용하기

Q1 당신 자체가 문제가 되지 않도록 조심하면서, 문제에 대한 조직의 온도를 높여라. 사람들은 문제 자체보다 문제를 제기하는 사람을 공격함으로써 논점에서 벗어나려 할 수도 있다. 온도를 높이는 일을 전체의 과제로 설정하라. 온도를 높이기 전에 다음과 같이 시작하라. "저는 이것이 우리 모두의 과제라고 생각합니다" "이 회의의 목적에 비추어볼 때…" "이 부서는 다음과 같은 가치에 전념하고 있습니다" 사람들이 당신이 아닌 내용에 초점을 맞추게 하려면 어떤 기술이 필요한지 생각해보라.

## 문제에는 자신의 몫이 있음을 인정하라

변화 적응 과정에서 발생하는 조직 내 문제에 자신의 몫이 있음을 확인하고 인정하라. 엉망진창이 된 상황에 책임을 지고 있고, 조직원들에게 희생을 요구하듯 당신 자신도 기꺼이 희생을 감수한다는 것을 보여줘라.

예를 들어 최고 경영자가 직원들이 믿고 있던 몇 가지 혜택을 없애겠다고 하면서 자신 역시 상당한 액수의 연봉 삭감을 받아들였다면, 그의 계획은 조금 더 잘 받아들여질 것이다. 2004년 파산에 직면한 US항공에서 일어난 일을 생각해보자. 새로운 최고 경영자 브루스 레이크필드는 항공사의 모든 직원과 함께 상당한 임금 삭감에 대한 협상을 시도했다. 하지만 그의 대변인에 따르면, 그는 자신의 임금이 이미 다른 저가 항공사들의 임원들과 비슷한 수준이었으므로 수백만 달러에 이르는 자신의 연봉은 삭감되지 말아야 한다고 생각했다고 한다.

이 사실이 알려지고 난 뒤 당연히 저항은 더욱 거세졌다. 미국 자동차 산업의 구조 개혁과 갱신을 위해 2008년에 시작된 노력은 경영자, 정치가, 노조 간부들이 자신들의 실수에 책임을 짊으로써 신뢰를 다시 얻을 중요한 기회를 제공했다.

당면한 문제에 책임이 있음을 인정하고 고통스러운 희생을 감당하는 것은 당신도 변화에 동참하고 있다는 강력한 메시지다. 당신 역시 변화를 위해 어려운 일을 기꺼이 감당한다는 것을 보여주면서, 사람들의 지지를 얻을 가능성을 높일 수 있을 것이다.

## 발코니에서 바라보기

Q1 조직 혹은 공동체가 직면한 어댑티브 챌린지를 생각해보라. 당면한 문제에서 당신의 몫은 무엇인가? 그 문제와 관련해서 당신이 하고 있거나 하고 있지 않은 것은 무엇인가? 자신의 몫을 인정하고 문제 해결을 위해 기꺼이 변화할 수 있다는 것을 보여주는 행동은 무엇인가?

## 현장에서 적용하기

Q1 조직원들에게 바라는 변화를 이야기할 때, 그런 변화에 따르는 좋은 점들을 이야기하고 어려움 또한 인정하라. 당신이 개인적으로 감당할 용의가 있는 희생을 구체적으로 밝혀라. 그런 다음 실제로 희생을 실천하라. 계획에 대해 조직 내 크든 작든 저항이 있는지 알아보라.

## 자신의 무능력함을 보여라

당신은 어쩌면 사람들의 문제를 해결하고 답변을 주면서 지금 그 자리까지 승진했을지도 모른다. 우리에게 공식적 혹은 비공식적 권한을 준 사람들은 우리가 무능력함이나 무지를 드러내기 원하지 않는다. 하지만 무능력함 혹은 무지를 감추면 어떤 것도 배울 수 없다. 그리고 조직원들이 자신의 능력을 한계까지 밀고 가지 않으면, 직면하고 있는 어댑티브 챌린지를 해결하는 데 필요한 역량을 배울 수 없다.

학습하는 조직 문화를 위해서는 첫발을 내디뎌야 한다. 일종의 실험으로써 자신의 무능력함을 보여줄 수 있다. 당신이 모르는 것을 인정하고, 당신이 처음해본다는 것을 모두가 알고 있는 영역에서 새로운 역할을 맡아보라. 이렇게 함으로써 당신은 조직의 골치 아픈 문제를 해결하기 위해 무엇이든 새롭게 배울 용의가 있음을 알리게 된다. 그리고 조직원들이 그들의 역량을 키우기 위해 열린 마음과 용기를 갖도록 영감을 줄 수 있다.

## 발코니에서 바라보기

Q1 변화를 위한 실행계획을 생각해보라. 그 실행안을 위해 필요한 당신의 능력과 무능력에 대한 목록을 만들어보라. 당신이 특별히 불편하다고 느끼는 무능력을 선택하고, 그 무능력함을 보여줄 방법들을 찾아보라.

## 현장에서 적용하기

Q1 다음 회의에서 당신이 잘하지 못하는 어떤 것을 시도해보라. 그 일에 자신이 무능력하다는 것을 솔직히 말하라. "저는 이것을 처음 해보지만 즐겁게 해보겠습니다"라고 말해보라. 사람들은 당신을 새로운 것을 시도하는 사람으로 보게 될 것이다. 효과가 없다면 당신의 전문 분야와는 다른 새로운 것을 시도해보라.

5.5

# 번성하라

Thrive

에너지가 소진될 때까지 일하지 말고 자신을 돌보라. 지나친 열정으로 헌신적으로 일하다 보면 탈진하는 것은 뻔한 결과다. 잘못된 의사결정을 하거나, 가족과 단절되거나, 건강이 악화하는 형태로 탈진할 수 있다. 목적을 성취하는 데 도움이 되면서도 수고의 열매를 맛볼 수 있으려면, 일에 너무 몰입하지 말고 자신을 돌봐야 한다. 어댑티브 리더십을 실천하면서 동시에 번성할 수 있도록 몇 가지 아이디어를 제안한다.

## 개인적 지지 기반을 키워라

어댑티브 리더십은 혼자 할 필요도 없고 그렇게 해서도 안 된다. 다른 사람의 정신적인 지지와 상담이 없다면, 자신의 약점과 당신의 의견을 반대하는 사람들의 이야기 때문에 스스로 무너지기 쉽다. 회복 탄력성은 우리 내면의 '충격 흡수 장치'가 만드는 것이기도 하지만 다른 사람들과의 관계 속에서 만들어지는 것이기도 하다.

조직 외부에 당신을 지지할 수 있는 네트워크를 개발하라. 다음 세 가지 방법을 시도해보길 권한다.

- 조직과는 관련이 없는 신뢰할 만한 사람들과 정기적으로 만나라. 그들은 당신에게 관심이 있는 사람들이다.
- 개인적인 욕구는 조직 밖에서 충족시켜라. 개인적 욕구가 잘 충족되어 있어야 조직에서 개인적 욕구 때문에 흔들리지 않을 것이다.
- 다양한 공동체 활동에 참여하라.

### 신뢰할 만한 사람들을 찾아라

변화를 이끄는 데는 긴 시간이 필요하다. 긴 여정을 떠나려면 당신이 왜 이 변화를 위해 이토록 에너지를 쏟고 있는지 이해하고, 시지프스(바위를 산꼭대기로 밀어 올리는 영원히 되풀이되는 벌을 받은 그리스 신화 속 인물)처럼 홀로 짐을 지는 느낌이 들지 않도록 감정적 무게를 함께 나눠질 수 있는 사람이 필요하다.

신뢰할 만한 사람은 친한 친구 또는 가족, 컨설턴트, 코치, 심리치료사 중에서 찾을 수 있을 것이다. 그들은 조직에서의 역할과 당신 자신을 구분하도록 도와주고, 목적에 방해가 되는 행동을 할 때 경고를 주기도 한다. 또한 채우기 어려운 욕구들을 다루는 데도 도움을 준다. 그들은 당신이 힘든 과제를 헤쳐나가는 데 도움을 주고, 만족하기 어려운 욕구를 이겨내도록 돕는다. 예를 들어 신뢰할 만한 사람이 당신을 지지하는 배우자라면 당신에게 안정감을 주거나 기분을 좋게 해주고, 친한 친구는 당신이 영향력 있고 중요한 사람이라고 느끼게 해주며, 좋은 코치는 당신의 삶을 잘 통제할 수 있도록 도와준다.

그들과 더 솔직한 관계를 맺도록 노력하라. 그들은 당신이 무엇을 잘하는지, 당신을 어려움에 빠지게 하는 방아쇠가 무엇인지 지적해줄 수 있는 사람들이다. 한편 당신이 새로운 컨설턴트나 코치와 일을 시작한다면 어떤 욕구 때문에 당신이 위험에 쉽게 빠지는지 알려줄 필요가 있다.

하지만 아무리 신뢰할 만한 사람이라고 해도 당신의 취약점을 쉽게 드러낼 수는 없을 것이다. 예를 들어 "저는 유능해 보이고 싶어요. 하지만 바로 그 점 때문에 어려움을 당하기도 하죠. 사람들은 언제나 제가 해결책을 갖고 있을 거라고 기대하니까요. 하지만 저 역시 실수를 해요. 제가 너무 자신감 있는 것처럼 행동한 것 같아요"라는 말을 하기란 어렵다.

신뢰하는 사람들이 당신에게 유익하려면 당신의 약점을 공유해야 한다. 이것은 반드시 해야 할 일이다. 처음에는 한두 개의 작은 약점이나 고민을 나누고, 점점 더 깊은 대화를 나눠보아라.

### 조직 밖에서 개인적 욕구를 충족하라

개인의 삶에서 욕구가 충분히 충족되어 있다면, 당신은 조직 안에서 욕구를 충족하려고 노력하지 않을 것이다. 예를 들어 당신이 사랑을 갈구하고 있다면 조직에서 반대의견에 부딪힐 때 쉽게 주장을 굽힐 가능성이 있다. 일반적으로 인간은 사랑, 친밀감, 인정, 지지에 대한 욕구가 있다. 사람마다 다르지만, 리더가 겪는 스트레스는 이런 욕구들을 증폭시키는 경향이 있다. 자신의 취약점을 알고 자신을 잘 돌보면, 문제없이 만족감을 느끼면서 지낼 수 있다. 사랑하는 사람들, 친구, 공동체의 지지와 격려는 당신이 높은 곳에서 외줄 타기를 하는 것 같은 느낌이 들 때, 목적을 잃지 않고 생산적으로 행동하도록 돕는다. 어려운 상황이 닥칠 때는 적절한 사람에게 의지할 준비를 해야 한다. 자신의 욕구가 충족되고 모든 일이 잘 관리된다면, 조직에서 인정을 얻거나 칭찬을 받으려고 노력하기보다는 문제에 집중할 수 있다.

### 다양한 공동체에 참여하라

당신은 변화를 만들어내기 위해 시간, 에너지, 집중, 관심 등을 조직 안에서 기꺼이 내어준다. 그러나 아무도 당신이 충분히 했다고 알려주지 않는다. 따라서 변화를 만드는 일로 인해 당신이 소진되지 않도록 가족 모임, 운동, 취미, 시민 활동 및 종교 활동 등 조직 밖의 여러 공동체에 참가하라. 공동체 활동을 통해 부수적 혜택도 얻을 수 있다. 즉, 조직의 변화를 이끌 때 도움이 되는 다양한 통찰과 기술을 배울 수 있다. 지역 사회 봉사활동을 통해 어떻게 영감을 주고받는지 배운다면, 당신이 속한 조직에서도 적용해 볼 수 있다.

## 발코니에서 바라보기

**Q1** 당신의 삶에서 신뢰할 만한 사람들의 이름을 적어보라. 그리고 조직에서 변화를 이끌 때 그들에게 어떤 도움을 받을 수 있을지 이름 옆에 적어보라. 그들과 정기적인 대화를 통해 영감과 정서적 지원을 얻겠다고 결심하라.

**Q2** 지지와 인정, 권력과 통제, 친밀감과 즐거움 각각의 욕구가 얼마나 충족되고 있는지 1에서 5까지 점수를 매겨보라. 무엇을 하면 그 욕구가 더 충족될 수 있을지 생각해보라. 예를 들어 배우자와의 관계에서 사랑을 충분히 느끼지 못한다면, 배우자와 일주일에 한 번 저녁 외식을 하거나 근사한 휴가 계획을 세우는 것은 어떠한가? 어떻게 하면 부부 관계에 활기를 되찾을 수 있을까?

**Q3** 리더십을 발휘할 때 소진되지 않도록 도움이 되는 공동체 활동은 어떤 것이 있는가? 그 공동체 활동에 참여하기 위해 할 수 있는 행동을 기록해보라.

## 현장에서 적용하기

Q1 배우자 혹은 절친한 친구 한 명이 당신에게 정신적인 지지나 조언에 대한 부담을 홀로 지지 않도록 신뢰할 만한 사람을 여러 명 만들어라. 하지만 신뢰할 만한 사람이 저절로 나타나는 것은 아니다. 나서서 찾아야 한다. 조직 외부에서 신뢰할 만한 사람이 될 수 있는 두세 명을 찾아보고, 믿고 편하게 대화할 사람이 되어달라고 부탁해보라. 지금 겪고 있는 도전과 필요한 영감의 종류, 지원을 그들과 공유해보라.

Q2 이전 장의 '발코니에서 바라보기' 두 번째 질문에 대한 대답을 다시 살펴보라. 그중 신뢰할 만한 사람을 통해 효과적으로 실천할 수 있는 것들을 골라 실행해보라.

Q3 다음 두 달 동안 위의 '발코니에서 바라보기' 목록에서 작성한 공동체의 활동에 참여해보라. 활동에 참여한 후, 조직에서 실망감, 피로감, 소진되는 느낌을 덜 받았는지 살펴보라. 외부 공동체 활동을 통해 배운 기술 중 조직에 적용할 만한 것이 있는지 찾아보라.

당신의 몸은 중요하다. 리더십에는 체력이 필요하다. 조직을 이끌 때 자신의 몸 상태에 주의하면서 감정의 흐름을 감지하는 것은 중요하다. 몸 상태에 귀 기울이지 않는다면 안에서 일어나는 변화를 알아차리기 어렵다.

리더십을 주도적으로 발휘하고 있다면 스트레스를 더 받고 있을 것이다. 목적에 몰두한 나머지 자신을 챙겨야 하는 중요한 순간에도 자신을 돌보지 않을 수 있다. 충분한 수면, 규칙적인 운동, 건강한 식단이 중요하다는 이야기는 반복하지 않겠다. 하지만 변화가 조직 구성원들에게 스트레스를 주는 것처럼, 어댑티브 리더십이 당신에게 스트레스를 준다는 사실은 강조하고 싶다.

변화를 이끌려면 흔들리지 않는 굳건함이 필요하다. 일하는 순간에는 아드레날린과 코르티코스테로이드 호르몬의 영향으로 스트레스를 못 느낄 수도 있다. 하지만 보이지는 않는 스트레스를 받고 있을 것이다. 어댑티브 리더십에 몰두하고 있을 때 정기적인 산책, 운동, 데이트 등 자기관리는 사치처럼 보이겠지만, 실제로는 당신에게 꼭 필요하다. 자기관리는 자신뿐 아니라 이루고자 하는 목적을 위해서도 중요하다.

### 피난처를 만들어라

과거를 돌아보고 앞으로를 준비하기 위해 규칙적으로 시간과 장소를 할애하는가? 다음 한 주 동안 할 일의 우선순위를 정하는 일요일 저녁 한두 시간, 머릿속을 비우고 주말을 시작하기 위한 금요일 점심의 긴 산책, 명상을 위한 매일 아침 30분, 공동체 구성원들과 함께 예배하는 장소 등 자신에게 효과적인 무엇이든 피난처가 될 수 있다. 만약 자신을 위한 피난처가 없다면, 적응적 변화를 이끌면서 발생하는 스트레스 때문에 탈진하게 될 수 있다.

피난처에서는 갈등은 잠시 잊고 당신의 내면 반응을 되돌아볼 수 있다. 피난처는 당신을 자극하는 방아쇠에서 벗어나고, 자신의 욕구를 잠재우며, 일에 압도되기보다는 성찰의 시간을 허락한다. 예를 들어 조직 구성원에게 업무를 강하게 요청하는 편이라면, 스스로 이런 질문을 던져보라. "내가 업무를 무리하게 추진하고 있지 않은가? 나를 포함해 구성원들이 쓰러질 정도로 혹사하고 있는가? 사람들에게 요구하는 희생에 대해 제대로 이해하고 있는가?" 피난처에서 우리는 자신의 역할을 되돌아보고, 장애물이 있어도 지금의 노력이 열매를 맺을 수 있다는 믿음을 되새겨 볼 수 있다.

피난처는 업무뿐만 아니라 개인의 삶에서 일어나는 어려움을 다룰 때도 도움이 된다. 피난처에서 자신의 영적, 정서적 측면을 성찰하면서 삶의 의미를 다시 발견할 수도 있다. 그 시간을 어떻게 명명하든 상관없다. 이 시간을 통해 어댑티브 리더십 과정에서 겪는 좌절과 실망을 잘 소화해낼 수 있다. 피난처는 자기 생각을 깊이 들여다보고, 업무로 인해 지친 자신을 회복하며, 당신의 영적인 영역을 잠잠히 느낄 수 있는 물리적이면서도 정신적인 공간이다.

## 발코니에서 바라보기

Q1 몸과 마음의 긍정적 변화를 위해 수면, 식단, 운동 습관을 어떻게 개선할 수 있을까? 평소보다 30분 일찍 잠자리에 들거나, 매일 채소와 과일을 하나씩 추가로 섭취하거나, 운동 시간을 주 3일에서 4일로 늘리는 것 등을 생각해 볼 수 있다.

Q2 자신을 위한 피난처가 있는가? 당신의 피난처는 무엇인가? 얼마나 도움이 되는가? 피난처가 없거나 지금의 피난처가 전혀 도움 되지 않는다면 어떤 방법으로 개선할 수 있을까? 손쉬운 방법부터 생각해보라. 예를 들어 출근 전에 명상 시간으로 10분을 쓸 수 있는가? 짜증 나는 회의 후 혹은 무리한 업무요청에 시달릴 때 잠시 머리와 마음을 정리하기 위해 10분 동안 산책할 수 있는가?

Q1 위의 '발코니에서 바라보기'에서 생각했던 작은 변화들을 실천해보라. 신뢰할 만한 사람과 당신에게 유익할 변화에 관해 이야기하는 것도 좋다. 변화를 실천하고 나서 어떤 일이 일어나는지 관찰하라. 피로감을 더 많이 혹은 적게 느끼는가? 집중력은 어떠한가? 낙관적이고 희망적인 생각에는 어떤 변화가 있는가? 작은 변화들로 긍정적 결과가 생긴다면, 좀 더 많은 변화를 시도하면서 그 폭을 넓혀보라.

우리는 당신이 생존을 넘어 번성하기를 바란다. 번성은 생존 이상으로 중요하다. 새롭고 도전적인 환경에서 성장하고 번영하는 것을 의미한다.

번성을 위해서는 회복 탄력성(평탄하지 않은 리더십 여정에서 안정 유지를 위한 충격 흡수장치), 건강한 신체, 그리고 자신을 새롭게 할 수 있는 능력이 필요하다. 자신을 새롭게 한다는 것은 힘든 경험을 통해 얻은 공로나 오랜 여정 중에 생긴 상처는 잊어버리고, 자신의 가치와 존재의 핵심으로 돌아가는 능동적 과정을 일컫는다. 이는 머리뿐만 아니라 마음, 용기를 새롭게 하는 것이다. 우리는 이 책에서 리더십의 내적인 영역—자기 자신을 어떻게 사용할 것인가, 그리고 다른 사람들을 어떻게 사용할 것이냐—을 설명하는 데 초점을 두었다.

급변하는 환경에서 어떻게 스스로를 새롭게 할 수 있을까? 이에 관해서는 세 가지 측면으로 생각해볼 수 있다.

**삶의 포트폴리오를 균형 있게 구성하라**

삶의 의미를 여러 영역에서 찾아라. 투자 상담가들이 말하는 이른바 균형 잡힌 포트폴리오를 개인의 영역에서도 가져보라.

셰익스피어의 리어왕은 왕으로서 해야 할 역할뿐 아니라 아버지의 역할을 잘 수행하기 위해서는 의미와 기술이 동시에 필요하다는 것을 너무 늦게 알았다. 개인적인 삶과 직업적 생활의 여러 영역에서 의미를 찾아라. 공동체 생활 속에서 의미를 찾거나 나이가 들면서 마음과 신체를 모두 잘 사용할 수 있는 관심사에서 의미를 찾아라. 어려운 순간에 당신을 지탱하고 삶의 기쁨을 같이 나눌 수 있는 우정에서 의미를 찾아라. 삶의 의미를 일이나 가족, 시민 생활, 종교 등 하나의 영역으로만 좁히면 그 영역에서 큰 변화가 생길 때 우리의 삶은 취약해질 수 있다.

### 매일의 일상에서 소소한 만족을 찾아라

거대한 열망 속에서 길을 잃지 않도록 조심하라. 마음을 울리는 열망을 성취하는 것과 일상에서 실질적인 작은 변화를 만드는 것 사이에서 갈등할 수 있다. 하지만 일상에서 만나는 사람들의 삶을 향상시키는데 관심을 가져라. 어린아이 한 명의 눈에 빛을 밝히는 것은 엄청나게 큰 의미일 수 있다.

공동체, 조직 그리고 세계를 향한 높은 열망은 평생을 바쳐도 성취하기 어려울 수 있다. 하지만 함께 일하는 사람들과의 소소한 상호 작용에서, 생활비를 벌기 위해 저녁 늦게까지 전화를 돌리는 텔레마케터를 이해하면서, 혹은 자신이 지지하는 가치를 자식들에게 보여줌으로써, 일상에서 작지만 옳은 것들을 성취할 수 있다.

이런 관점으로 살펴보면 당신은 자신이 하는 작은 행동의 영향력을 일상에서 경험하고, 현재의 시간과 의미를 새롭게 하면서 매일의 삶에서 번성할 수 있을 것이다.

### 냉정한 현실주의자이자 변치 않는 긍정주의자가 되라

낙관주의와 현실주의를 동시에 연습하라. 어떤 사람은 당신에게 둘 중 하나만 선택하라고 할지도 모른다. 둘 중 한 가지를 믿거나 두 가지를 모두 다 믿는 것은 선택의 문제다. 그러나 두 가지 관점, 즉 냉정하게 현실적이면서 변치 않는 긍정적 마음가짐을 가짐으로써, 순진한 낙관론에 빠지거나 냉소적인 현실론에 빠지는 것을 막을 수 있다.

우리는 이 책을 통해 긍정적이면서도 현실적인 리더십 모델을 제시하려고 했다. 어댑티브 리더십 여정 중에 좌절과 실패를 겪어도 긍정적 사고를 잃지 않는 조직과 개인은 우리를 항상 감동시켰다. 어떻게 그들은 긍정성을 계속 유지할 수 있을까? 첫째, 현재 상황은 변할 수 있다는 믿음을 갖고 있다. 스트레스 강도가 높은 복잡한 상황에서도 지금과는 다른 더 나은 상황이 존재한다는 것을 상기하면서 현재에 매몰되지 않는다. 둘째, 그들은 자신들의 노력이 언제 효과가 있고 효과가 없는지 알기 위해, 스스로 훈련을 계속한다. 그들은 실수를 예상하면서 계속해서 배우고자 한다. 셋째, 그들은 사람들의 삶에 가치를 더할 기회를 놓치지 않는다. 그들 중 최고는 생애 마지막 날까지 베풀고 사랑을 전하는 사람들이었는데 이를 통해 주변 사람들은 서로를 축복하며 작별하는 법을 배울 수 있었다.

지금까지 효과적이라고 검증해왔던 실제적 전략 및 도구, 복잡하거나 간단한 기술을 제공하면서 우리는 목적과 가능성을 가지고 살 때 필요한 노력과 훈련, 헌신에 존경을 표하고자 했다. 우리는 이 세상에서 변화를 만들어내는 사람들을 보며, 이 책의 영감을 얻었다. 국가와 공동체와 조직을 위해, 또한 정의와 대의와 혁신을 위해, 위험을 무릅쓰고 리더십을 발휘한 수많은 사람을 만나고 함께 대화할 수 있었던 것은 우리에게 큰 영광이었다.

리더십이라는 행동은 신성한 것이다. 그뿐만 아니라 리더십을 발휘하는 모든 사람이 중요하다. 이 시대를 사는 우리 모두가 리더십을 조금 더 발휘한다면 이 세상은 분명 좀 더 좋은 곳이 될 것이다.

## 감사의 글

지난 25년간 우리와 함께 배우면서 자신의 도전과 경험을 나누어 준 고객들, 프로그램 참가자들, 학생들, 친구들의 도움과 배려가 없었다면, 이 책은 세상에 나올 수 없었을 것이다. 특히 《하버드 케네디 스쿨의 리더십 수업Leadership without Easy Answers》, 《실행의 리더십Leadership on the Line》이 출판되고, 케임브리지 리더십 협회가 창립되고 난 후 우리는 수많은 이들의 도움을 받았다. 그런 의미에서 이 책은 우리가 쓴 책이면서 그들이 쓴 책이기도 하다.

본문에서도 언급한 것처럼, 이 책은 이론적이고 실천적인 수많은 아이디어를 담고 있다. 이 책의 아이디어들과 방법론들은 20세기뿐 아니라 수 세기 전의 것들과도 연결되어 있다. 30여 년 전, 라일리 신더는 론 하이페트와 함께 어댑티브 리더십의 이론적 기반을 만들었다. 론의 전처이자 우리의 동료이며, 실천가인 수잔

아바디언은 지난 20여 년간 이 개념을 심화해왔고 여러 방법으로 그 개념을 정교하게 만들었다.

이 책에 아이디어와 방법론을 제공했을 뿐 아니라, 자료를 검증해준 제프 로런스, 캐런 리먼, 에릭 마틴, 조앤 마틴, 휴 오도허티, 리 타이텔, 크리스틴 본 도놉 등 케임브리지 리더십 협회 동료들에게도 감사한다. 또한, 시종일관 이 책의 집필 과정을 믿고 기다려준 협회의 창립 이사, 리즈 닐에게도 감사한다. 그녀가 없었다면 협회는 존재하지 않았을 것이다.

로널드와 마티는 하버드 케네디 스쿨 학장 이하 경영, 리더십, 정치 학부 동료들에게 감사의 인사를 전한다. 그리고 교육 행정부의 핏 짐머맨과 크리스 레츠, 그 외 이 책의 집필을 도와준 모든 이들에게 감사한다.《리더십은 학습될 수 있다Leadership Can be Taught》의 저자이자 우리의 친구인 샤론 달로느 파크는 이 책의 집필을 응원하면서, 원고 전반에 걸쳐 크게 도움이 되는 조언을 해주었다. 알렉산더는 세상을 경험하게 해주고 따뜻하게 자신을 맞아준 세계 곳곳에 흩어져 있는 친구, 가족, 동료들에게 감사를 전한다. 길 스킬맨, 페기 두래니, 드 블루 유닛, 임란자말, 특히 레이철 그래쇼는 알렉산더의 생각과 경험의 폭을 넓혀주었고 꿈을 격려해주었다.

갑작스러운 출장과 무수한 전화 통화를 참아준 가족들과 사랑하는 사람들 덕분에 우리 셋은 함께 일할 수 있었고, 이 책을 분업이 아닌 진정한 의미의 협업으로 집필할 수 있었다. 데이비드 아바디언 하이페츠의 힘 있는 격려와 편집에 대한 조언으로 더 좋은 책을 만들 수 있었다. 아리아나 시린 아바디언 하이페츠는 그녀만이 줄 수 있는 명료한 조언으로 내용의 검증을 도왔다. 캐린 앤 헤링은 더 나은 표현을 위해 노력했다. 알렉산더의 아내이자 한 아이의 엄마인 야수고 타마키는 임신 중에도 모든 과정을 너그럽게 인내해주었다. 마티의 아내인 린 스탤리는 지난 30년간 고집스럽고 불합리하며 자기 몰두적인 남편에게 맞추어주었던 것처럼, 이 책이 나오는 과정에서도 또 한 번 참아주었다.

용어 해설을 도와준 브릿 에일러, 편집을 도와준 켈러 존슨에게도 감사한다. 이 책을 출간하기까지 당근과 채찍으로 일을 능숙하게 진행해준 하버드 비즈니스 출판사의 편집자 제프 케호에게도 감사한다.

마지막으로 공동 저자로서 하나의 목소리를 만들어내고자 노력한 우리 세 사람 모두에게 감사한다. 사실 많은 협업이 서로의 관계를 단단하게 만들지 못하고, 업무적이고 개인적인 관계로 그치는 경우가 많은 것을 알고 있다. 그러나 이 책을 함께 만들어 가는 과정을 통해 우리들의 관계와 헌신이 더욱 단단해졌음에 감사한다.

## 용어 해설

**개입** intervention
변화적 과제 해결을 위해 사람들을 움직이는 일련의 행동들 또는 특정 행동을 뜻한다. 의도적으로 아무 행동을 하지 않는 행위도 개입으로 간주한다.

**공식적 권한** formal authority
조직에서 기대하는 업무를 달성하도록 부여된 명확한 권력으로, 직무 기술서에 혹은 법적으로 명시되어 있다.

**관찰** observation
객관적인 관점을 유지하면서 가능한 많은 정보원을 통해 관련 자료들을 모으는 것이다.

**권한** authority
조직에서 업무 수행에 대한 대가로 위임된 공식적 또는 비공식적 권력이다. 권한을 가진 사람들은 다음과 같은 기본적인 업무 또는 사회적 기능을 수행한다. ①방향 설정 ② 보호 ③질서 유지

**권한의 범위** scope of authority
타인에게서 권한을 위임받은 사람이 제한된 권력을 가지고 할 수 있는 일련의 업무들을 말한다.

**마음** below the neck
인간의 비지성적 능력으로 정서적, 영적, 본능적, 반사적 운동 능력 등을 포함한다.

**말 속에 감춰진 노래**
ong beneath the words
사람의 말속에 암시적으로 숨겨져 있는 의미로 몸짓, 어조, 목소리의 강약, 단어 표현 등을 통해 나타난다.

**목적** purpose
조직 및 정치 영역의 활동들에 의미 있는 지향점을 제공하는 중요한 방향을 일컫는다.

**무도회장** dance floor
행동이 일어나는 곳으로 마찰, 잡음, 긴장 및 조직적 활동이 일어나는 곳이다. 궁극적으로 문제가 해결되어야 하는 곳이다.

**믿을 만한 사람** confidant
상대방이 가진 관점 및 이슈보다는 그 사람의 성공과 행복을 위해 함께하는 사람을 말한다.

**반대파** opposition
당신의 의견이 받아들여질 경우 위협을 느끼거나 손실을 경험하게 될 그룹 및 분파를 말한다.

### 발코니에서 바라보기
getting on the balcony

거리를 두고 바라보는 것을 말한다. 문제가 소용돌이치는 무도회장에서 벗어나는 정신적 행동으로 자기 자신과 전반적인 시스템을 관찰하고 관점을 얻기 위한 것이다. 무도회장에서는 보이지 않는 유형들을 볼 수 있다.

### 번성하라 thrive
고귀한 가치를 추구하며 살아가는 것이다. 이를 위해서는 변화에 적극적으로 대응하는 것이 필요하다. 이는 본질적인 것과 버려야 할 것을 구분하고 혁신을 통해 사회 시스템이 과거로부터 가장 좋은 것을 취해 미래로 가져갈 수 있어야 한다.

### 분파 faction
조직 내 나뉘어 있는 그룹으로 ①관습, 권력관계, 충성심 및 이해관계에 의해 같은 관점을 가지고, ②상황을 분석하는 자신들만의 방식과 자신들에게 유리하게 이해관계, 문제, 해결책을 정의하는 내적 논리 체계를 가지고 있다.

### 비공식적 권한 informal authority
어떤 역할을 기대하며 암묵적으로 위임한 권력을 뜻한다. 예의범절과 같은 문화적 규범을 나타내거나 특정 사회적 움직임에 대한 열망을 대표하도록 도덕적 권위를 부여하는 방식으로 사용되기도 한다.

### 불안정 상태 disequilibrium
변화적 과제로 인한 긴박함, 갈등, 불협화음, 긴장의 정도가 증가하면서 조직 안정성의 부재 상태를 일컫는다.

### 어댑티브 리더십 adaptive leadership
**변화 리더십**

변화 적응적 과업을 위해 사람들을 행동하게 하는 활동이다.

### 어댑티브 챌린지 adaptive challenge
**변화 적응적 도전**

번성을 위해 사람들이 추구하는 가치와 그 가치를 실현할 역량 부족으로 직면한 현실 사이의 격차를 말한다.

### 안아주는 환경 holding environment
변화 적응적 과업이 유발하는 갈등적 상황에서도 구성원들이 서로를 포용하도록 도와주는 관계 및 사회 시스템의 속성들로, 친밀감과 애정, 상호 합의한 규칙, 절차 및 규범, 공동의 목적 및 가치, 전통, 언어, 의식, 변화 적응적 과업에 대한 이해, 권위에 대한 신뢰 등이 있다. 안아주는 환경은 조직의 정체성을 부여하고 복잡한 현실과 씨름할 때 발생하는 갈등, 혼돈, 혼란을 방지한다.

**역할** role
사회 시스템에 존재하는 일종의 기대로, 개인 및 집단이 마땅히 해야 한다고 여겨지는 일들을 정의한다.

**욕구** hunger
인간은 일반적으로 ①권력 및 통제 ②지지와 인정 ③친밀감과 즐거움을 성취하고자 한다.

**의식** ritual
공동체의 동질감을 조성하는 데 기여하는 상징적 행위를 말한다.

**머리와 마음을 모두 사로잡기**
**engaging above and below the neck**
이끌고 있는 사람들과 모든 차원에서 연결되는 것이다. 또한 자신의 모든 인격과 속성을 리더십 발휘에 헌신하는 것이기도 하다. 머리above the neck은 지적인 영역으로 논리와 사실을 다룬다. 마음below the neck은 정서적 영역으로 가치, 신념, 습관적 행동 및 반응 유형을 다룬다.

**자신을 효율적으로 활용하기**
**deploying yourself**
자신의 역할, 역량, 정체성을 신중하게 관리하는 것을 말한다.

**진전** progress
급격하게 변하는 환경에서 사회적 시스템들이 성공적으로 번성하도록 새로운 역량을 개발하는 것이다. 집단, 공동체, 조직, 국가 및 세계의 상태가 개선되도록 이끄는 사회적, 정치적 학습 과정을 의미한다.

**집중** attention
리더십의 핵심적인 자원이다. 계속되는 불안정한 시기 동안 변화적 과제에서 진전을 이루기 위해서 리더는 까다로운 질문들을 통해 사람들의 참여를 유지할 수 있어야 한다.

**피난처** sanctuary
개인이 새로워지는 특정한 장소 혹은 일련의 행동들을 말한다.

**피해자** casualty
변화를 이끄는 과정에서 생기는 부산물로, 잃게 되는 사람, 역량 혹은 역할을 일컫는다.

**해석** interpretation
상황을 이해하는 데 도움이 되도록 행동 유형들을 파악하는 것을 말한다. 해석이란 이해하기 쉬운 사고방식과 이야기 구조를 적용하여 가공되지 않은 상태의 정보들을 설명해가는 과정이다. 많은 상황에서 다양한 해석이 가능하다

**Adaptive Leadership**

어댑티브 리더십

5부 나만의 실험실 - 나를 실험하라

**초판 1쇄 발행** 2017.07.15
**개정판 1쇄 발행** 2022.08.25

**지은이** 로널드 A. 하이페츠, 알렉산더 그래쇼, 마티 린스키
**옮긴이** 진저티프로젝트 출판팀
**번역검수** 김남원, 전혜영
**감수** 강진향, 서현선, 안지혜
**교정교열** 고가은, 김영재, 김윤수, 최예은
**디자인** 정선은
**마케팅** 홍승현
**인쇄** 북토리 | 이광우

**발행인** 김고운, 홍주은
**발행처** (주)진저티프로젝트
**주소** 서울 마포구 양화로 12길 8-5 세르보빌딩 2층
**홈페이지** www.gingertproject.co.kr
**이메일** info@gingertproject.co.kr
**인스타그램** @gingertproject

**ISBN** 979-11-976714-9-4 (04320)
**ISBN** 979-11-976714-4-9 (세트)